CONTEÚDO DIGITAL PARA ALUNOS

Cadastre-se e transforme seus estudos em uma experiência única de aprendizado:

Escaneie o QR Code para acessar a página de cadastro.

Complete-a com seus dados pessoais e as informações de sua escola.

Adicione ao cadastro o código do aluno, que garante a exclusividade de acesso.

7986157A6316680

Agora, acesse:
www.editoradobrasil.com.br/leb
e aprenda de forma inovadora e diferente! :D

Lembre-se de que esse código, pessoal e intransferível, é valido por um ano. Guarde-o com cuidado, pois é a única maneira de você utilizar os conteúdos da plataforma.

CONHECER E TRANSFORMAR

[PROJETOS] [Integradores]

5

Componentes curriculares: **Arte, Ciências, Geografia, História, Língua Portuguesa** e **Matemática**.

1ª edição
São Paulo, 2019

Organizadora: Editora do Brasil

Editora responsável: Daniella Barroso
- Mestre em Geografia
- Docente em escolas públicas
- Editora de materiais didáticos

Dados Internacionais de Catalogação na Publicação (CIP)
(Câmara Brasileira do Livro, SP, Brasil)

Conhecer e transformar: [projetos integradores] 5 / organizadora Editora do Brasil; editora responsável Daniella Barroso. – 1. ed. – São Paulo: Editora do Brasil, 2019. – (Conhecer e transformar)

Componentes curriculares: Arte, ciências, geografia, história, língua portuguesa e matemática.

ISBN 978-85-10-07580-0 (aluno)
ISBN 978-85-10-07581-7 (professor)

1. Arte (Ensino fundamental) 2. Ciências (Ensino fundamental) 3. Geografia (Ensino fundamental) 4. História (Ensino fundamental) 5. Língua portuguesa (Ensino fundamental) 6. Matemática (Ensino fundamental) I. Brasil, Editora do. II. Barroso, Daniella. III. Série.

19-27380   CDD-372.19

Índices para catálogo sistemático:
1. Ensino integrado: Livros-texto: Ensino fundamental 372.19
Maria Alice Ferreira – Bibliotecária – CRB-8/7964

© Editora do Brasil S.A., 2019
Todos os direitos reservados

Direção-geral: Vicente Tortamano Avanso

Direção editorial: Felipe Ramos Poletti
Gerência editorial: Erika Caldin
Supervisão de arte e editoração: Cida Alves
Supervisão de revisão: Dora Helena Feres
Supervisão de iconografia: Léo Burgos
Supervisão de digital: Ethel Shuña Queiroz
Supervisão de controle de processos editoriais: Roseli Said
Supervisão de direitos autorais: Marilisa Bertolone Mendes

Supervisão editorial: Priscilla Cerencio
Edição: Agueda del Pozo
Assistência editorial: Felipe Adão e Ivi Paula Costa da Silva
Copidesque: Gisélia Costa e Ricardo Liberal
Revisão: Andréia Andrade, Flávia Gonçalves e Marina Moura
Pesquisa iconográfica: Priscila Ferraz e Odete Ernestina Pereira
Assistência de arte: Carla del Matto
Design gráfico: Narjara Lara
Capa: Andrea Melo
Imagens de capa: Tiwat K/Shutterstock.com, nubenamo/Shutterstock.com e balabolka/Shutterstock.com
Ilustrações: Carlos Jorge, Hélio Senatore, Luca Navarro, Rafael Herrera e Vanessa Alexandre
Produção cartográfica: Alessandro Passos da Costa
Coordenação de editoração eletrônica: Abdonildo José de Lima Santos
Editoração eletrônica: JS Design
Licenciamentos de textos: Cinthya Utiyama, Jennifer Xavier, Paula Harue Tozaki e Renata Garbellini
Controle de processos editoriais: Bruna Alves, Carlos Nunes, Rafael Machado e Stephanie Paparella

1ª edição / 1ª impressão, 2019
Impresso na Meltingcolor Gráfica e Editora Ltda.

Rua Conselheiro Nébias, 887
São Paulo, SP – CEP 01203-001
Fone: +55 11 3226-0211
www.editoradobrasil.com.br

Elaboração de conteúdos

Ana Carolina Vieira Modaneze
Designer de jogos com foco em aprendizagem, bacharel em Comunicação Social e sócia-fundadora da Fagulha

Deborah Carvalho
Geógrafa e mestre em Geomorfologia Urbana, atua na área de meio ambiente e produção de conteúdo

Hiure Anderson Alves da Silva Queiroz
Pesquisador de redes comunitárias pela Coolab e de apropriação tecnológica pelo Sítio do Astronauta

Jhonny Bezerra Torres
Bacharel e licenciado em Geografia pela Universidade de São Paulo (USP), professor do Ensino Médio e de cursinhos pré-vestibulares no setor privado e do Ensino Fundamental na rede municipal em São Paulo

Maiza Ramacciotti
Pesquisadora informal de educação e colaboradora-aprendiz no Sítio do Astronauta

Marcela Guerra
Tecnoartesã, pesquisadora e inventora de objetos cotidianos no Sítio do Astronauta

Wellington Fernandes
Licenciado e mestre em Geografia pela Universidade de São Paulo (USP), leciona no ensino básico na rede municipal de ensino em São Paulo e em cursinhos comunitários

Olá, você!

Este livro é um pouquinho diferente de outros livros escolares: ele tem um monte de perguntas e algumas sugestões sobre como descobrir as respostas.

Há respostas que já foram elaboradas por outras pessoas, pois estamos há milhares de anos elaborando perguntas e respostas sobre tudo! Mas há respostas que ainda estão à espera de alguém que as descubra.

Neste livro, você encontrará jogos, brincadeiras, desafios e experimentos que vão transformá-lo em um explorador e estimulá-lo a ser um descobridor de coisas!

Formulamos cada projeto acreditando que toda criança é um mundo de possibilidades e talentos. Por isso, você pode se identificar muito com um experimento e não achar legal um jogo. Isso é natural, afinal somos diferentes e temos interesses diversos. Se você perceber que algum colega está desconfortável, enfrentando dificuldades, proponha a ele uma parceria e, juntos, façam descobertas. O que pode ser mais fascinante do que passar o ano escolar tentando decifrar mistérios com os colegas?

Torcemos muito para que você se divirta de montão!

Os autores

CONHEÇA SEU LIVRO

DE OLHO NO TEMA
Aqui você fica sabendo qual é o tema trabalhado no projeto e a importância dele em nossa vida.

DIRETO AO PONTO
Essa é a questão norteadora do projeto, que o guiará a novas descobertas a respeito do assunto trabalhado.

QUAL É O PLANO?
Indicações de qual será o produto final e as etapas principais do projeto, do início até a conclusão.

VAMOS APROFUNDAR
Atividades para você checar os principais conceitos estudados por meio de questões que requerem leitura, interpretação e reflexão.

VAMOS AGIR
Seção com atividades práticas: experimentos, criação de modelo, pesquisa, entrevistas etc.

REFLITA E REGISTRE
É nesse momento que você descobrirá algumas das conclusões após os experimentos e suas observações.

BALANÇO FINAL
Essa é a etapa em que você avaliará seu desempenho e o de toda a turma na execução do projeto.

AUTOAVALIAÇÃO
Essa é uma ficha para verificar as aprendizagens que você adquiriu durante o projeto.

SUMÁRIO

Isso aí dá jogo: como se organizar para resolver problemas.......8

Qual é o plano? 9

Etapa 1 – Explorando o assunto 10
Que elementos compõem os jogos?.......10
Os problemas coletivos "dão jogo"? 14
Como solucionar problemas coletivos....16
Como levantar problemas em uma comunidade...18

Etapa 2 – Fazendo acontecer 24
Percurso 1 – Organização dos times e levantamento dos problemas............24
Percurso 2 – Definição do problema a ser resolvido 25
Percurso 3 – Pesquisa sobre o problema..26
Percurso 4 – Criação do jogo 28
Percurso 5 – O teste do jogo 29

Etapa 3 – Respeitável público.... 30
Balanço final..31
Autoavaliação 31

Em busca de um lugar fresco na hora do recreio?.............32

Qual é o plano? 33

Etapa 1 – Explorando o assunto........ 34
O que acontece quando a luz solar chega ao planeta 34
Reflexão e absorção da luz na cidade ...40

Etapa 2 – Fazendo acontecer 46
Percurso 1 – Planejamento do telejornal ..46
Percurso 2 – Montagem do telejornal ...49

Etapa 3 – Respeitável público.... 52
Balanço final..53
Autoavaliação 53

Só acredito vendo!......... 54

Qual é o plano? 55

Etapa 1 – Explorando o assunto ... 56
- Observar coisas pequenas........................ 56
- Observar coisas distantes 62
- E para observar a superfície da Terra, o que fazer? 65

Etapa 2 – Fazendo acontecer 68
- **Percurso 1** – Planejamento das imagens 69
- **Percurso 2** – Os registros das observações 70

Etapa 3 – Respeitável público 72
- Balanço final 73
- Autoavaliação 73

O giro do planeta........... 74

Qual é o plano? 75

Etapa 1 – Explorando o assunto 76
- Não é o Sol que se movimenta 76
- As descobertas de Nicolau Copérnico 82

Etapa 2 – Fazendo acontecer 84
- **Percurso 1** – As partes de um jornal 84
- **Percurso 2** – A elaboração do jornal 86

Etapa 3 – Respeitável público 88
- Balanço final 89
- Autoavaliação 89

Encartes 90

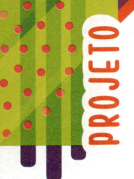

PROJETO
Isso aí dá jogo: como se organizar para resolver problemas

Os jogos são elementos da cultura que existem há milhares de anos. Eles já foram utilizados para ensinar diversas coisas.

A **mancala**, por exemplo, é um jogo que existe há 7 mil anos e ensina a lógica da colheita; para saber um pouco melhor como funcionam as finanças existe o Banco Imobiliário, um jogo criado há quase um século! O mais impressionante é que os dois exemplos são muito jogados ainda hoje!

 DE OLHO NO TEMA

Os jogos transmitem conteúdos e juntam pessoas. Eles podem ser boas ferramentas para ajudar pessoas a solucionar problemas, pois os jogadores têm um objetivo em comum.

Para que o jogo seja bem-sucedido, ou seja, para que o problema que ele levanta seja realmente resolvido, é necessário que tenha missões claras, que estipule etapas e que premie as pessoas que mais participam.

Participar de um jogo com o objetivo de resolver um problema real pode ser um forte incentivo para que diversos membros de uma comunidade se comprometam com a resolução da questão.

Quando a comunidade se une para resolver uma questão, percebemos mudanças consideráveis em nosso entorno; além do mais, essa mobilização fortalece o vínculo entre as pessoas.

DIRETO AO PONTO

Como usar jogos para organizar pessoas e resolver problemas coletivos?

QUAL É O PLANO?

Formular um jogo para ajudar as pessoas a se organizarem na solução dos problemas de sua comunidade.

Etapa 1 – Explorando o assunto

- Que elementos compõem os jogos?
- Os problemas coletivos "dão jogo"?
- Como solucionar problemas coletivos
- Como levantar problemas em uma comunidade

Etapa 2 – Fazendo acontecer

Percurso 1: Organização dos times e levantamento dos problemas
Percurso 2: Definição do problema a ser resolvido
Percurso 3: Pesquisa sobre o problema
Percurso 4: Criação do jogo
Percurso 5: O teste do jogo

Etapa 3 – Respeitável público

Esse é o momento de jogar! Com o jogo pronto, é hora de reunir e colocar as pessoas a serviço da solução de um problema coletivo.

ETAPA 1 — EXPLORANDO O ASSUNTO

Que elementos compõem os jogos?

Como organizar pessoas para resolver um problema? Um dos caminhos é por meio de um jogo. Como já vimos, os jogos são ótimos para unir pessoas em torno de um mesmo objetivo.

Conheça alguns elementos fundamentais para a criação de um jogo.

As **regras** definem a estrutura do jogo, quem vence e quem perde.

É importante deixar claro e registrado o que se pode fazer, as atribuições de cada jogador, as recompensas e as punições.

Cartas, tabuleiro, peões e dados são **ferramentas** que podem ser usadas para desenvolver um jogo. A necessidade de cada ferramenta muda conforme o objetivo do jogo.

A **pontuação** do jogo é a forma de confirmar se as ações dos jogadores estão ou não de acordo com o que se espera deles. Quanto mais pontos acumula, mais o jogador sabe que o caminho escolhido por ele pode levar ao objetivo final.

Desenvolver um raciocínio lógico para que o objetivo seja conquistado é fundamental para que o jogo ganhe muitos adeptos. Esse raciocínio é chamado de **estratégia**, por meio da qual o problema escolhido pode ter uma solução satisfatória.

É preciso escolher muito bem a forma de distribuição dos pontos, as ferramentas e as recompensas oferecidas.

A **sorte** é um elemento que traz dinamismo e emoção para o jogo: um dado, por exemplo, pode ser um elemento de sorte. Também podemos utilizar cartas de ação ou escolhas para mudar a situação do jogo.

Os jogos podem ser **colaborativos** ou **competitivos**, dependendo da estratégia escolhida.

A colaboração entre as pessoas é importante quando a estratégia do jogo pede que todos joguem juntos para resolver o problema.

Na competição, o jogo propõe que cada um dê o melhor de si.

Os jogos também podem ser colaborativos e competitivos ao mesmo tempo. Um exemplo: os membros de uma equipe devem colaborar um com o outro, mas as diversas equipes disputam entre si.

Investigação de jogos

1. Traga para a sala de aula um jogo de que você goste muito. Pode ser de tabuleiro, eletrônico, corporal etc. O jogo pode ter um objeto ou ser apenas um conjunto de instruções (como **cabra-cega**).

2. Prepare uma apresentação na qual sejam explicadas as regras, as ferramentas, a pontuação, a estratégia e o tipo de jogo (colaborativo e/ou competitivo). Se você tiver dúvidas, leia novamente as explicações nas páginas anteriores.

3. Acompanhe as explicações dos colegas e anote no quadro abaixo os elementos de jogos que você considere mais interessantes nas apresentações. Isso o ajudará a elaborar os próprios jogos.

Regras	
Ferramentas	
Pontuação	
Estratégia (sorte ou azar)	
Colaboração e/ou competição	

4. Compartilhe com os colegas as anotações que você fez.

REFLITA E REGISTRE

1. Debata com os colegas algumas questões:
   a) Outros alunos também se interessaram pelos mesmos modelos de jogo que você?
   b) Alguém indicou uma ideia de que ninguém mais gostou?
   c) Entre os exemplos de jogos trazidos pela turma, há mais jogos colaborativos ou competitivos?
2. Registre no espaço abaixo as características dos jogos que mais apareceram nos exemplos trazidos pelos colegas.

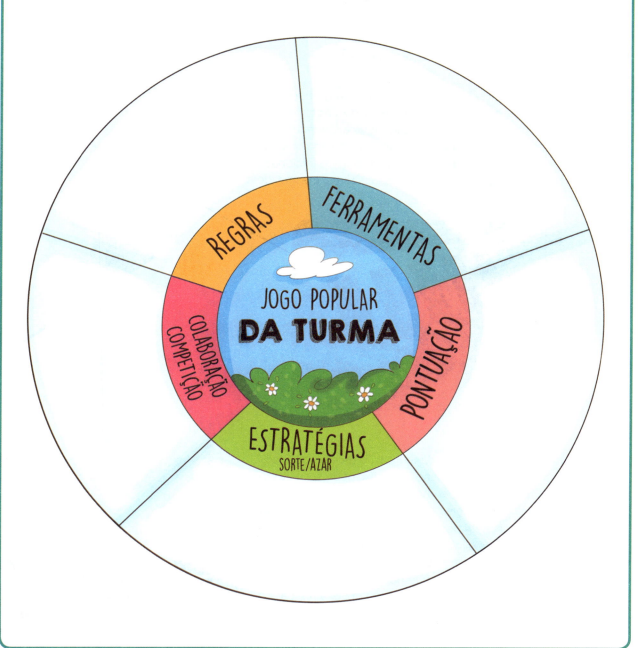

Os problemas coletivos "dão jogo"?

Quando uma torneira de sua moradia está estragada e passa todo o dia pingando, quem é responsável por consertá-la? Alguém de sua família se ocupa do conserto ou contrata um profissional para fazer isso? Durante todo o tempo em que a torneira está assim, a água tratada é desperdiçada: quanto mais tempo ela permanece pingando, mais água é perdida. Quem se prejudica com o desperdício?

Esse é um exemplo de problema coletivo: a torneira que vaza água em sua moradia pode atrapalhar a vida de outros moradores, que também dependem da água tratada para suas atividades do dia a dia. Muitas vezes, nós pensamos que os problemas de nossa moradia só atingem a nós, mas isso não é bem assim. Compartilhar a solução dos problemas com outras pessoas ajuda toda a comunidade.

Quer conhecer outros exemplos?

Imagine uma onda de calor no verão em uma grande cidade: metade das famílias decide usar o aparelho de ar-condicionado na temperatura mais fria. Lá na usina hidrelétrica, os técnicos vão ficar preocupados com o aumento de energia elétrica consumida. Cada família acredita que a decisão de ligar o ar-condicionado é individual. No entanto, quando muitas pessoas têm a mesma ideia, o efeito é enorme!

A coleta de lixo passa em cada moradia e recolhe os sacos organizados pelas famílias. O destino desse lixo pode ser o aterro sanitário ou até mesmo o lixão. Quanto mais material descartado, mais áreas ficam cheias deles: esses locais não podem ser ocupados por moradia nem por qualquer outra atividade. O que aconteceria se as famílias diminuíssem a quantidade de lixo? Isso não é nada complicado! Observe o material que será descartado em sua casa e identifique tudo o que pode ser reaproveitado e reciclado: esses materiais não são lixo e não deveriam ir para o aterro sanitário.

VAMOS AGIR

Em dupla

1. Compartilhe com um colega quais são os problemas que você observa em seu dia a dia. Identifiquem juntos um problema que depende da ação de cada pessoa e que tem um impacto sobre toda a comunidade.

2. Desenhem esse problema no espaço abaixo e escrevam uma legenda que explique por que ele tem impacto na vida das pessoas.

3. Compartilhem as respostas com os demais colegas.

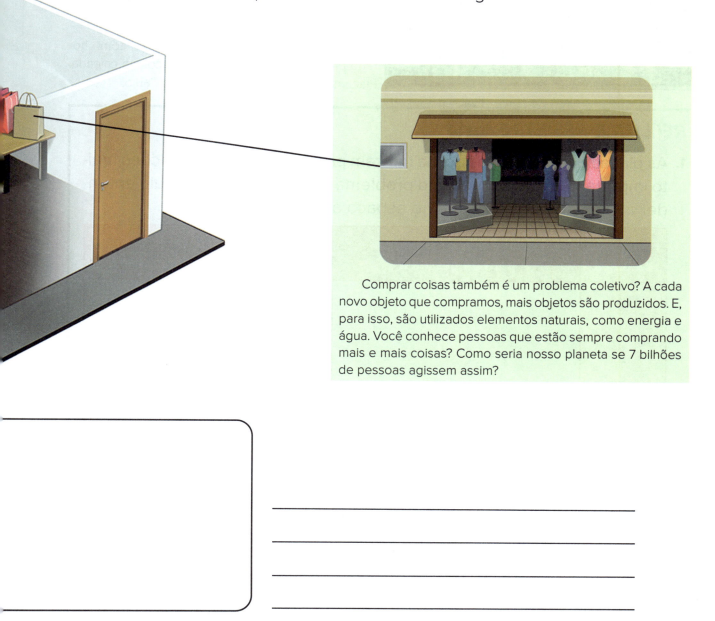

Comprar coisas também é um problema coletivo? A cada novo objeto que compramos, mais objetos são produzidos. E, para isso, são utilizados elementos naturais, como energia e água. Você conhece pessoas que estão sempre comprando mais e mais coisas? Como seria nosso planeta se 7 bilhões de pessoas agissem assim?

15

Como solucionar problemas coletivos

Você já observou uma placa em um local público que indicava como as pessoas daquela região deveriam agir em relação a determinado problema?

Observe as placas a seguir.

As lixeiras colocadas nas calçadas e praças servem para descartar materiais quando estamos caminhando. Na fotografia, lixeiras na cidade de Maravilha, Santa Catarina.

Há diversas regras para a coleta de lixo, como horário programado para deixar os sacos na calçada. Placa na cidade de Araraquara, São Paulo.

REFLITA E REGISTRE

1. As placas das fotografias acima indicam para as pessoas duas ações muito importantes relacionadas ao problema do lixo. Você conseguiu entender a mensagem? Escreva-a no espaço a seguir.

Fotografia da placa	Qual é a ação sugerida para as pessoas?	O que pode acontecer se as pessoas não agirem assim?
1		O lixo pode entupir bueiros, causando alagamentos, e chegar aos rios, poluindo-os.
2		

16

As pessoas também se organizam para comunicar aos outros os problemas que elas enfrentam em seu dia a dia e apresentar suas propostas de solução. Esses encontros podem ocorrer no espaço público e são chamados de manifestações. Conheça uma delas.

Em 1972, um grupo de crianças do bairro de Pijp, na cidade de Amsterdã (Holanda), começou a discutir na escola os problemas que elas enfrentavam para brincar fora de casa. Elas conversaram com os moradores para criar um espaço sem carros no bairro, e vários adultos apoiaram a iniciativa. Juntos, adultos e crianças organizaram diversas manifestações e conseguiram que uma rua fosse fechada para o trânsito de veículos. Hoje, a cidade de Amsterdã tem muitas outras ruas fechadas para carros, em que as crianças brincam sem o risco de serem atropeladas.

Amsterdã já foi uma cidade cheia de carros, mas muita coisa mudou desde a década de 1970. Atualmente, uma grande parte da população usa bicicleta e transporte público para transitar pela cidade.

17

Como levantar problemas em uma comunidade

Vamos conhecer o que os alunos e funcionários veem como problema na escola? Para isso, podemos criar uma enquete.

> **Enquete** é um conjunto de perguntas feitas aos entrevistados. Para cada pergunta pode haver um conjunto de respostas, entre as quais os entrevistados marcam a que consideram mais adequada.

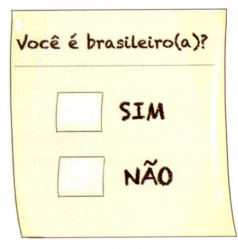

Este é um exemplo de pergunta com respostas prontas. "Sim" e "Não" são as respostas que os entrevistados podem escolher. É possível colocar mais respostas, como "Não quero responder" ou, ainda, "Não sei".

Elaboração da enquete

Em grupo

1. Vamos pensar em uma pergunta a ser feita aos alunos e funcionários da escola para descobrir quais são os problemas que eles identificam na escola. Registre a seguir as ideias que surgirem.

_____
_____
_____
_____
_____

2. Converse com os colegas para decidir que pergunta fazer. Registre-a abaixo. Dica: vocês podem eleger a melhor pergunta por meio de uma votação.

_____
_____
_____

Em dupla

3. Essa enquete deverá abordar os problemas da escola. A seguir, você encontra alguns itens que podem ser um problema no ambiente escolar. Reúna-se com um colega e acrescentem outros itens a essa lista.

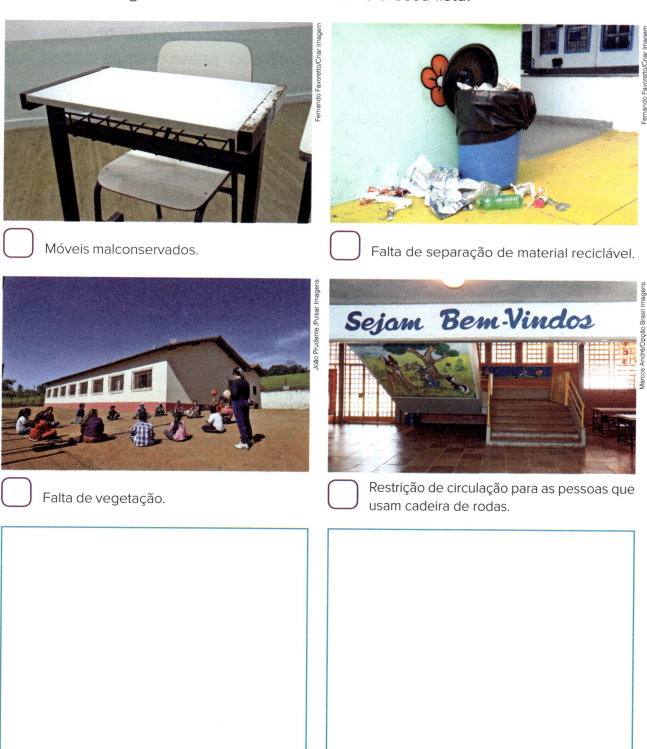

☐ Móveis malconservados.

☐ Falta de separação de material reciclável.

☐ Falta de vegetação.

☐ Restrição de circulação para as pessoas que usam cadeira de rodas.

☐ _____

☐ _____

Preparação do questionário e das entrevistas

Em grupo

4. A enquete que vocês farão deverá ter uma pergunta com respostas prontas. Decidam quais respostas vão entrar na pesquisa. Anotem abaixo os itens escolhidos.

REFLITA E REGISTRE

1. O que fazer se o entrevistado não encontrar na lista a resposta para os problemas apontados?

_____
_____

2. Os entrevistados responderiam algo diferente se não houvesse uma lista?

_____
_____

3. Vocês acreditam que a lista de problemas influencia a resposta dos entrevistados?

_____
_____

5. Agora é o momento de pensar na realização das entrevistas com alunos e funcionários da escola. Como vocês vão coletar as respostas? O que fazer para impedir que a mesma pessoa participe mais de uma vez? Discutam, em grupo, e dividam o trabalho. Anote sua tarefa no espaço a seguir.

_____
_____
_____
_____
_____
_____

6. Na página 90 do livro, vocês encontram uma planilha para anotar as respostas dos entrevistados. Agora, mãos à obra!

Analisando os dados da enquete

Vocês fizeram entrevistas para saber qual é o principal problema da escola de acordo com alunos e funcionários. Agora chegou a hora de organizar os dados coletados.

A tabela dos dados

Em grupo

1. Reúnam todas as folhas com os registros das entrevistas. Contem as respostas de cada item e preencham a tabela abaixo.

Problema	Quantidade de entrevistados que indicaram o problema

2. Identifiquem os problemas mais citados pelos entrevistados. Comparem esses problemas com os demais: verifiquem se há uma grande diferença entre os problemas mais indicados e os menos indicados.

3. Preencham o quadro abaixo com os dois problemas mais indicados e os dois menos indicados.

Mais indicados	Menos indicados

Em dupla

4. Reúna-se com um colega para representar esses dados visualmente. Cada barra deste gráfico corresponde a um problema: identifiquem-nos nas linhas. Em seguida, pintem cada quadradinho para indicar o problema: se 10 pessoas citaram o problema, vocês devem pintar 10 quadradinhos.

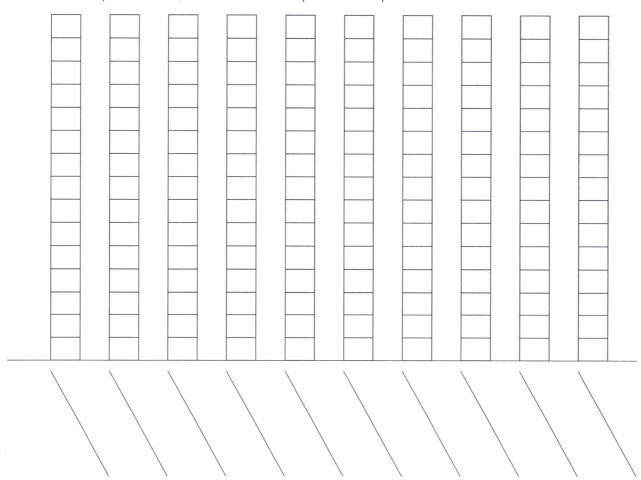

1. Compare a tabela e o gráfico feitos na seção **Vamos agir**.

   a) Se você precisa saber quantas pessoas indicaram cada problema, em qual deles é mais fácil conseguir essa informação? Na tabela ou no gráfico?

   b) Para identificar o problema mais indicado e o menos indicado, é mais fácil ler a tabela ou o gráfico?

Orientações gerais

Agora é hora de colocar a mão na massa!

Os percursos sugeridos a seguir ajudarão vocês a elaborar um jogo que organize as pessoas para resolver um problema.

PERCURSO 1

ORGANIZAÇÃO DOS TIMES E LEVANTAMENTO DOS PROBLEMAS

> **Meta**
> Organizar a turma em grupos e levantar o problema a ser resolvido por meio do jogo.

Em grupo

1. Compartilhe com os colegas duas habilidades suas que podem ser importantes para o trabalho em grupo na criação do jogo. Exemplos: Você é bom em falar com as pessoas? Sabe fazer bem tarefas manuais? É uma pessoa organizada? Depois, montem equipes com três ou quatro alunos que tenham habilidades diferentes. Um bom time precisa contar com talentos distintos.

2. Equipe formada? Agora vocês devem:

    a) escolher o nome da equipe;

    b) listar problemas que podem ser resolvidos por pessoas da escola ou do bairro onde vocês vivem;

    c) selecionar três problemas para testar se são viáveis.

3. Organizem uma enquete para fazer com as pessoas que vocês querem que participem do jogo (dentro e/ou fora da escola). Vocês precisam elaborar uma questão cuja resposta envolva os três problemas definidos pelo grupo.

PERCURSO 2
DEFINIÇÃO DO PROBLEMA A SER RESOLVIDO

Meta: Fazer o teste com os participantes para definir o problema a ser resolvido por meio do jogo.

Em grupo

1. Entrevistem as pessoas e anotem as respostas delas. Listem os problemas de acordo com a quantidade de votos que receberam.

1º lugar	
2º lugar	
3º lugar	

2. Hora de avaliar o problema mais votado! Para definir se esse problema pode ser resolvido por um grupo de pessoas por meio de um jogo, respondam:

   a) Existem ações locais que podem ajudar na resolução do problema? Quais?

   b) É preciso ter equipamentos ou materiais para resolver o problema? Se sim, é possível recolher doações da comunidade para solucioná-lo?

3. Analisem as respostas e decidam se usarão o problema mais votado para elaborar o jogo ou outro problema que pode ser solucionado com o apoio das pessoas e por meio de um jogo.

4. Escreva qual foi o problema escolhido.

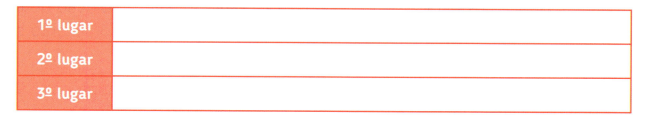

PERCURSO 3

PESQUISA SOBRE O PROBLEMA

Meta

Levantar informações.

O jogo que vocês estão criando precisa ter como objetivo a solução de um problema. Então, agora é o momento de procurar mais informações, tanto sobre o problema quanto sobre alternativas para solucioná-lo.

Em grupo

1. Discutam em grupo o que vocês já sabem e elaborem perguntas sobre o que precisam descobrir para encontrar uma solução para o problema que "dê jogo".

_____

_____

_____

_____

_____

Individualmente

2. Com essas perguntas, busque publicações nas quais haja as informações de que precisa. As melhores dicas para encontrar um conteúdo podem estar na biblioteca: peça ajuda ao bibliotecário.

Se você quiser procurar publicações na internet, escolha um buscador e use frases completas para encontrar textos bem alinhados ao problema definido pelo grupo. Exemplo: se o problema for consumo de água, você pode pesquisar "como diminuir o consumo de água" ou ainda "técnicas simples de redução do consumo de água". Nos buscadores, ao usar frases entre aspas, como essas do exemplo, aparecem publicações que contêm a frase completa. Outra forma de pesquisar é escrever uma série de palavras-chave relacionadas ao problema. No mesmo exemplo acima, podem-se usar as palavras **redução**, **consumo**, **água** e **solução**.

Tome cuidado com as informações da internet! Para estar seguro de que elas são verdadeiras e seguras, o ideal é pesquisar em fontes confiáveis, como *sites* de ONGs especializadas no assunto (algumas têm a extensão **.org**), do governo (que normalmente têm a extensão **.gov**), de instituições de ensino (extensão **.edu**) e de jornais de grande circulação.

É muito fácil se dispersar na internet! Mantenha o foco nas questões que vocês elaboraram.

Pesquisas na internet podem ser muito produtivas, desde que sejam tomados os cuidados fundamentais para garantir a veracidade das informações.

3. Compare os dados coletados: verifique as datas, os nomes dos autores e se as explicações dos textos coincidem. Identifique as informações mais confiáveis e anote-as no espaço a seguir. Desenhos e esquemas visuais ajudam a organizar as informações pesquisadas.

Em grupo

4. Com as pesquisas feitas, troquem as informações coletadas entre si. Discutam as possibilidades de solução do problema e definam uma única solução para a elaboração do jogo.

PERCURSO 4
CRIAÇÃO DO JOGO

Meta
Elaborar elementos do jogo.

Está na hora de elaborar o jogo! Ele deve envolver as pessoas na solução do problema definido e pesquisado. Use a lista de jogos que analisou na primeira etapa do projeto para se inspirar.

Em grupo

1. Discutam em grupo e definam os seguintes elementos do jogo.

> **Objetivo:** o que se espera que aconteça ao fim do jogo?

> **Regras:** as instruções do jogo devem ser claras para que todos tenham acesso. Regras simples e inclusivas são mais fáceis de cumprir.

> **Tempo e espaço:** em quanto tempo e onde ocorrerá o jogo? O espaço pode ser físico ou virtual, de acordo com a solução proposta pelo grupo.

> **Colaboração ou competição:** o ideal é que o jogo seja colaborativo, para que todos se engajem no cumprimento do objetivo proposto. Mas pode haver uma competição entre os times, valorizando seu envolvimento na resolução do problema.

> *Ranking* **de pontuação:** serão distribuídos pontos por tarefas cumpridas? Como será essa divisão de pontuação?

> **Cartas de ação (opcional):** são tarefas para a solução do problema. Exemplo: se a solução proposta é uma horta comunitária, as cartas podem conter missões, como encontrar sementes de temperos ou preparar o solo.

> **Tabuleiro (opcional):** não são todos os jogos que necessitam de um tabuleiro, mas ele pode ser importante se o objetivo é fazer com que as pessoas tenham mais informações e tomem consciência do problema causado por suas ações. No entanto, o meio ideal para organizar as pessoas em busca da solução do problema pode ser uma gincana, por exemplo, e não um tabuleiro.

> **Elemento randômico:** pode ser via cartinhas ou dado, usando o elemento da sorte ou da incerteza para criar uma tensão no grupo. É importante dar possibilidades de decisão para que o jogo fique mais divertido.

> **Condições de vitória/empate ou derrota:** quais elementos determinam a vitória e indicam os vencedores?

PERCURSO 5
O TESTE DO JOGO

Jogar com conhecidos para saber se o jogo funciona.

Testes são importantes para entender o que está dando certo no jogo ou descobrir o que precisa ser ajustado para que ele seja um sucesso!

O protótipo do jogo ajuda a descobrir os elementos que precisam ser aprimorados. É possível testá-lo e aprimorá-lo enquanto ele é jogado, eliminando uma regra que possa prejudicar a resolução do problema ou, ainda, inserindo elementos para o jogo não ficar muito simples.

1. O primeiro teste deve ocorrer entre conhecidos. Leve o jogo para casa e teste-o com a família e os vizinhos.

Em grupo

2. Em sala de aula, organizem-se para testar os jogos uns dos outros. Para isso, juntem-se com outra equipe: vocês serão os participantes do teste deles e eles, do seu jogo.

3. Ao final dos testes, respondam coletivamente:

   a) O jogo ajuda as pessoas a resolver o problema?

   b) Falta ou sobra algum elemento no jogo? Como resolver isso?

29

ETAPA 3 RESPEITÁVEL PÚBLICO

Boas ideias merecem ser compartilhadas! É hora de compartilhar o jogo, a fim de que mais pessoas se organizem para resolver problemas coletivos.

Para isso, vocês devem conseguir participantes e preparar o material de que precisam para a realização do jogo.

1. Como vocês vão garantir que haja participantes para jogar? É preciso convidar pessoas? Vocês farão um evento para atrair pessoas? Discutam essas questões com toda a turma, pois outros grupos podem usar a mesma estratégia que o seu. Registrem as decisões no espaço a seguir.

_____
_____
_____

2. O jogo que vocês elaboraram precisa de algum material? Como vocês conseguirão material para todos os participantes? Façam uma lista de todas as coisas necessárias para o jogo e dividam as tarefas. Anote o que cabe a você realizar para que o jogo aconteça.

_____
_____
_____

3. Gravem vídeos, tirem fotografias, criem um cartaz ou preparem uma apresentação para divulgar o jogo de vocês. Combinem com o professor um dia de apresentações: partilhem com os colegas as conquistas e os desafios do jogo criado pela equipe.

Este é o momento de compartilhar com os colegas as expectativas e as conquistas de cada grupo. Organizem uma roda de conversa e expliquem uns aos outros o que funcionou e o que pode ser aperfeiçoado nos jogos criados pelos grupos. As questões a seguir podem ajudá-los nessa conversa.

- O jogo promoveu a reunião de pessoas dispostas a solucionar um problema?
- Os jogadores conseguiram atingir o objetivo do jogo?
- As expectativas de cada grupo foram alcançadas pela realização do jogo?
- Que conhecimentos o grupo precisou adquirir para criar o jogo?

No quadro a seguir, você pode rever o que aprendeu ao longo da realização deste projeto – há dois espaços para você escrever o que aprendeu. Preencha-os e, depois, compartilhe com os colegas e o professor suas impressões: O que foi fácil e o que representou um grande desafio para você?

Eu aprendi a...	😊	😐	😣
...identificar os elementos que compõem um jogo.			
...levantar os maiores problemas de uma comunidade usando enquete.			
...ler dados coletados em uma enquete.			
...reconhecer formas de se organizar coletivamente para resolver problemas.			
...impulsionar a organização coletiva das pessoas para reconhecer e resolver seus problemas.			

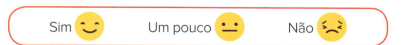

Em busca de um lugar fresco na hora do recreio?

No recreio, não faltam ideias de coisas para fazer: brincar, conversar, comer ou descansar... às vezes, tudo ao mesmo tempo.

Já reparou que em dias ensolarados as atividades que fazemos no recreio são diferentes daquelas que fazemos nos dias frios? Já percebeu como as pessoas costumam sentir os efeitos do calor? Umas sentem mais do que as outras, não é? Será que a vestimenta delas ou o lugar onde estão aproveitando o recreio têm algo a ver com isso?

 DE OLHO NO TEMA

As temperaturas podem estar bem altas e, ainda assim, as pessoas sentirem conforto térmico, ou seja, elas podem estar confortáveis no lugar onde estão, mesmo quando há muita incidência de luz solar.

Neste projeto, propomos que você conheça alguns elementos que podem interferir na produção de calor em dias ensolarados. Isso poderá ajudá-lo a elaborar estratégias para ter mais conforto nos lugares que frequenta.

Crianças no pátio de uma escola do município de Conceição da Barra (Espírito Santo). No pátio dessa escola há diferentes ambientes para os alunos. Qual deles parece mais confortável para você? Na hora do recreio, você e seus colegas disputam algum lugar para brincar e descansar?

DIRETO AO PONTO

Todos os elementos na superfície terrestre reagem da mesma maneira à incidência dos raios solares?

QUAL É O PLANO?

Produzir um noticiário do clima com sugestões para sofrer menos com o calorão em dias de muito Sol.

Etapa 1 – Explorando o assunto

- O que acontece quando a luz solar chega ao planeta
- Reflexão e absorção da luz na cidade

Etapa 2 – Fazendo acontecer

Percurso 1: Planejamento do telejornal

Percurso 2: Montagem do telejornal

Etapa 3 – Respeitável público

Vamos encontrar formas de divulgar o telejornal para o público da escola e do município!

O que acontece quando a luz solar chega ao planeta

Até alcançar a superfície terrestre, os raios solares percorrem um longo caminho: cerca de 150 milhões de quilômetros separam a Terra do Sol!

Antes de chegar até onde nós estamos, na superfície do planeta, os raios solares também atravessam a atmosfera, a camada de gases que envolve a Terra.

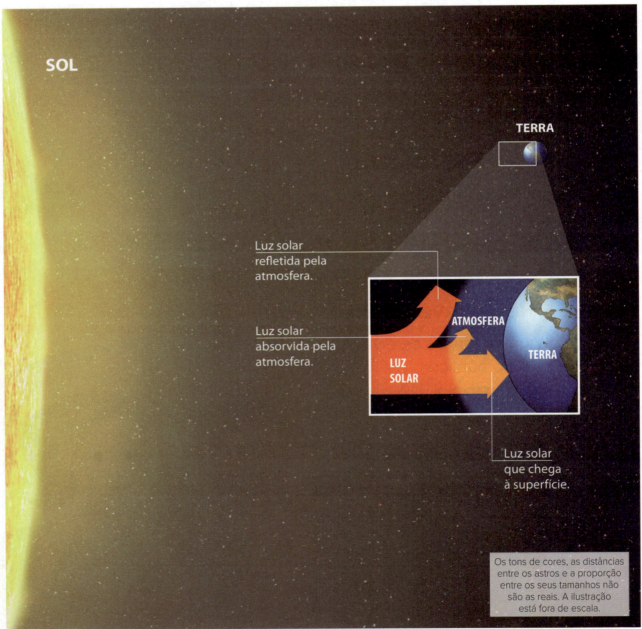

Os tons de cores, as distâncias entre os astros e a proporção entre os seus tamanhos não são as reais. A ilustração está fora de escala.

Fonte: *A Terra*. São Paulo: Ática, 2010. p. 53.

A atmosfera reflete uma parte da luz solar e absorve outra parte: cerca de metade da luz nem chega à superfície da Terra.

Quando a luz solar atinge a superfície de nosso planeta, ela pode ser refletida ou absorvida. Isso depende do tipo de material que compõe a superfície terrestre.

A imagem a seguir mostra como se comporta a luz solar ao incidir sobre quatro materiais diferentes.

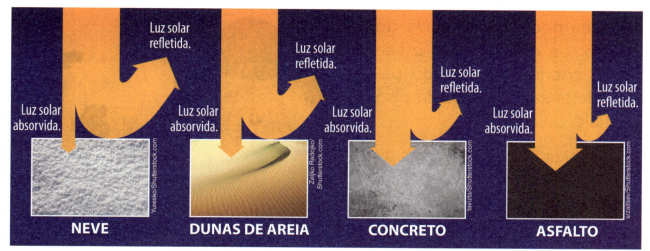

Fonte: Francisco Mendonça e Inês Moresco Danni-Oliveira. *Climatologia: noções básicas e climas do Brasil.* São Paulo: Oficina de Textos, 2007. p. 35.

Em um dia ensolarado, dá para pisar na areia sem proteção? A luz solar é refletida pelos grãos de areia e a temperatura na superfície fica muito alta, podendo até queimar nossos pés. Cavando um pouco a areia, percebemos que os grãos não estão quentes, pois a luz solar absorvida é bem pouca.

Converse com os colegas sobre o efeito do recebimento de luz solar na neve e no asfalto: Ela é mais refletida ou mais absorvida? Vocês observaram que a neve é bem clara e o asfalto, muito escuro?

Vamos, a seguir, observar como a luz solar incide sobre objetos claros e escuros em outras situações.

Em grupo

1. Providenciem o material para a execução do experimento:
- um termômetro externo;
- dois objetos do mesmo material: um com cores claras (preferencialmente branco) e outro com cores escuras (preferencialmente preto). Sugestões: camisetas de algodão, guarda-chuvas de tecido sintético, cartolinas.

2. Encontrem um local no pátio da escola em que bata Sol e não tenha sombras. Então, instalem os dois objetos de mesmo material e cores diferentes a uma pequena distância do chão: os dois objetos precisam cobrir uma área do pátio de tamanho e tipo de piso iguais.

3. Que tal utilizar duas formas diferentes de medição de calor: a sensação do corpo e o termômetro? Para isso, uma das pessoas do grupo pode ter parte de seu corpo coberto pelo material claro e outra parte pelo material escuro, podendo assim comparar a sensação de calor embaixo de cada um deles. Além disso, vocês também devem usar o termômetro para medir a temperatura embaixo dos objetos.
O quadro a seguir pode ajudá-los a organizar as medições.

Horário	Temperatura	
	Objeto claro	Objeto escuro

36

REFLITA E REGISTRE

1. Em que lugar ficou mais quente? E mais fresco?

2. Como você imagina que esses dados podem nos ajudar a tomar decisões no dia a dia?

3. Observe as ilustrações e escolha as melhores opções para sofrer menos com o calor em um dia ensolarado.

Produzindo calor

O Sol é nossa principal fonte de energia. O calor é produzido quando os raios solares encontram um material: pode ser desde o ar e o vapor de água da atmosfera até nosso corpo ou um objeto de tecido, como a camiseta e o guarda-chuva.

Quando um material recebe a incidência dos raios solares, ele se aquece e pode produzir calor.

VAMOS AGIR

Vamos produzir uma miniusina de calor!

Material:

- papel-alumínio;
- cartolina;
- papelão;
- cola;
- pequeno recipiente metálico com água;
- termômetro.

Como fazer

1. Recorte 20 quadrados de cartolina e de papel-alumínio com 10 cm de lado. Cole cada quadrado de papel-alumínio sobre um quadrado de cartolina (a face mais brilhante do papel-alumínio deve ficar para o lado de fora, como se fosse um espelho).

2. Com o papelão, faça 20 suportes para os quadrados, como se fossem porta-retratos. Cole-os no lado de cartolina do quadrado, deixando o lado do papel-alumínio livre.

3. Coloque o recipiente metálico com água no chão e distribua os quadrados de modo que a luz solar chegue ao papel-alumínio e seja refletida para o recipiente com água.

4. Pegue o termômetro e meça a temperatura da água. Após dois intervalos de 10 minutos, meça a temperatura da água novamente.

REFLITA E REGISTRE

1. Desenhe a miniusina que você produziu indicando o caminho percorrido pelos raios solares até atingir a água.

2. Agora, responda às questões.
   a) A temperatura da água mudou? Como? Por que isso ocorreu?
   b) Qual foi a função do papel-alumínio no experimento?
   c) Pintando o papel-alumínio de preto, a miniusina funcionaria da mesma maneira? Por quê?

VAMOS APROFUNDAR

1. A fachada desse edifício foi construída com materiais que refletem a luz solar: ela funciona como o espelho do experimento. O que acontece com o calor produzido?

Entardecer no Largo da Batata, com o Instituto Tomie Ohtake em destaque. São Paulo, São Paulo.

Reflexão e absorção da luz na cidade

Você já estudou como os materiais absorvem ou refletem a luz solar. Vamos organizar o que já exploramos?

- Alguns materiais **absorvem** grande parte da luz solar. Eles retêm calor, que é liberado para a atmosfera mesmo após o pôr do sol.

Arquibancada de concreto.

Rodovia asfaltada.

- Alguns materiais **refletem** grande parte da luz solar. A superfície deles fica muito quente, e eles direcionam a luz solar para outros materiais, promovendo o aquecimento de ambos.

Vidro espelhado.

Telhados de metal.

REFLITA E REGISTRE

Em grupo

1. Organizem uma visita a todos os espaços da escola. Verifiquem os materiais predominantes no prédio, na quadra, no pátio etc.

   a) Vocês observaram algum espaço da escola mais quente que os arredores?

   b) Quais são os lugares mais frescos? Vocês conseguem identificar os materiais que contribuem para isso?

O aquecimento dos materiais pela luz solar pode provocar alguns efeitos, como o aumento da temperatura ambiente e a expansão do volume de alguns materiais.

Imagine uma cidade repleta de materiais que aquecem e se expandem: são pontes de concreto, calçadas de cimento, trilhos de metal e muitos outros. Você alguma vez reparou em um pequeno espaço entre blocos de materiais? Observe as imagens:

Os trilhos são formados por muitas peças, que são instaladas com uma pequena distância entre elas, como mostra a fotografia. Essas frestas possibilitam a expansão do trilho quando ele se aquece.

As calçadas feitas de pedras e cimento também têm uma pequena fresta. Após um dia ensolarado, esse material se aquece e seu volume aumenta, ocupando esse espaço.

Nas pontes feitas de concreto não é possível apenas deixar um espaço entre blocos de concreto, pois eles despencariam! Por isso, há peças de metal, como as da fotografia, que, encaixadas nos blocos de concreto, possibilitam que eles se expandam quando aquecidos.

O asfalto aquecido pode se tornar menos resistente ao peso dos veículos. Essas ondulações no piso foram causadas pelos ônibus, que pressionaram o asfalto quando ele estava aquecido. Atualmente, várias cidades brasileiras usam concreto no lugar do asfalto porque ele é muito mais resistente ao peso dos veículos.

VAMOS APROFUNDAR

1. Você consegue imaginar que tipo de problema poderia ocorrer se o volume desses materiais aumentasse ao longo do dia sem haver espaço entre eles? Imagine um trilho de trem aumentando de tamanho: O que ocorreria com o trilho? E com o encaixe do vagão de trem no trilho?

As plantas e a temperatura

Você considera esses lugares agradáveis para se sentar e passar um tempo? Muitas pessoas dizem que um lugar agradável para conversar é debaixo de uma árvore. Você concorda com elas?

A sombra da copa das árvores serve como barreira para os raios solares; por isso, ficar embaixo de árvores em um dia ensolarado é muito mais confortável do que receber diretamente a luz solar.

Há também outras duas características das plantas que contribuem para transformar seu entorno em um lugar agradável. Vamos conhecê-las.

As plantas captam a luz solar para fazer a fotossíntese. Isso significa que a luz solar que incide sobre as plantas é, em grande parte, absorvida sem se transformar em calor.

As plantas liberam água em forma de vapor: é a transpiração. O espaço em volta das plantas pode, por isso, ficar muito mais úmido do que áreas sem plantas.

Sombra, absorção de luz sem produção de calor e liberação de umidade: essas são as importantes contribuições das plantas para nosso conforto mesmo em dias quentes!

Que tal refazer a visita aos espaços da escola, agora pensando nessas características das plantas? Você e os colegas podem tentar identificar os lugares mais frescos considerando a presença de plantas.

 **VAMOS AGIR**

O terrário é um ambiente fechado onde as plantas se desenvolvem sem serem regadas. Nele é possível observar a transpiração das plantas.

Material:

- um pote de vidro com tampa;
- terra adubada;
- cascalho;
- mudas de plantas pequenas.

Como fazer

1. Coloque uma camada de cascalho no fundo do pote. Por cima do cascalho, coloque a terra adubada.

2. Cave pequenos buracos na terra e coloque as mudas de planta. Regue-as e deixe o pote aberto por dois dias.

3. Após esse período, feche o pote. Deixe o terrário em um local com boa luminosidade.

REFLITA E REGISTRE

1. Desenhe o percurso da água no terrário.

2. Como as plantas do terrário podem se desenvolver sem serem regadas?

Na cidade é produzido mais calor?

Pense em uma cidade repleta de construções e com poucas plantas, especialmente árvores: Em um dia ensolarado, é provável que os moradores sintam mais conforto ou desconforto?

A ilustração mostra um pedaço de uma cidade com essas características.

1. Interprete as informações sobre temperatura registradas na ilustração: Onde está mais quente? E mais fresco?

2. Utilize os espaços da ilustração para desenhar a paisagem que você imagina em cada uma das situações: na área mais quente e na área mais fresca. Depois, elabore uma explicação para cada uma delas e compartilhe com os colegas.

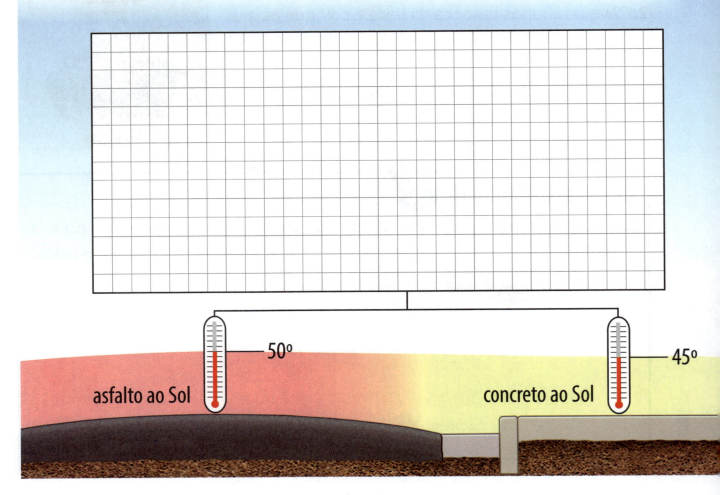

REFLITA E REGISTRE

1. Se você fosse convidado para comentar, em um telejornal, a necessidade de mais plantas, especialmente árvores, no local em que vive, o que você apresentaria como justificativa?

_____

_____

_____

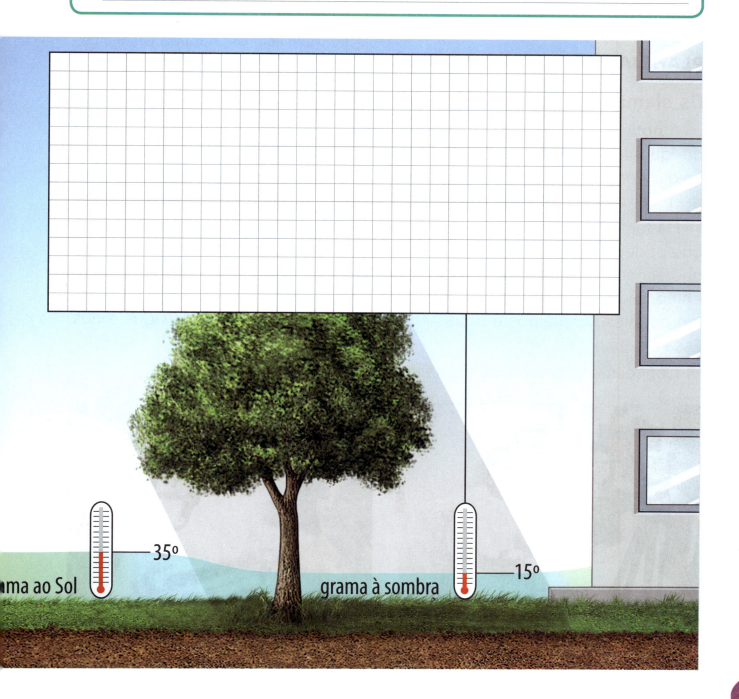

Orientações gerais

Agora, você tem uma grande missão: compartilhar com outras pessoas o que descobriu sobre como identificar lugares agradáveis para se estar em um dia ensolarado.

Para isso você e os colegas elaborarão um telejornal!

PERCURSO 1

PLANEJAMENTO DO TELEJORNAL

> **Meta**
> Conhecer os principais elementos que formam um telejornal e planejar o que será elaborado pela turma.

Os elementos de um telejornal

A **notícia** é o principal componente de um telejornal. Há notícias chamadas de "quentes", que são acontecimentos marcantes, que precisam ser noticiados no dia. Por exemplo, em um dia de muito calor, um grupo de pessoas se aglomera embaixo de uma árvore para escapar do Sol forte: isso é uma notícia "quente".

Há também outro tipo de notícia, chamada de "fria": é aquela reportagem que pode ser mostrada hoje ou amanhã no telejornal, pois ela não fala de algo que aconteceu hoje. Um exemplo: todo verão as pessoas sofrem com o calor; então, são feitas reportagens com dicas de lugares para escapar do calor, como parques florestados e outras áreas com muitas plantas e até lagos e rios. Essa é uma notícia "fria".

Conheça a seguir outros elementos do telejornal.

O apresentador do telejornal é o jornalista que lê as notícias e passa a palavra para os repórteres, que podem estar na rua ou dentro do estúdio.

A reportagem na rua é feita pelo repórter, que pode mostrar o lugar do acontecimento e entrevistar pessoas nos espaços públicos.

Os conteúdos mais informativos do telejornal podem ser produzidos dentro de estúdios ou laboratórios, como o desta imagem, que mostra um experimento científico sendo gravado para ir ao ar.

As entrevistas com especialistas também são uma forma interessante de apresentar as notícias, pois eles podem fornecer e explicar informações importantes para o público.

Em dupla

1. Assistam a noticiários e identifiquem outros elementos que fazem parte de um telejornal. Registrem suas descobertas com imagens e texto.

O planejamento do telejornal

Um telejornal é formado por várias partes, que são pensadas em conjunto, ou seja, a equipe que elabora o telejornal decide conjuntamente o que será noticiado, quais entrevistas serão feitas e até mesmo a ordem dos assuntos apresentados.

47

Em grupo

2. Reúnam toda a turma e decidam juntos o que vocês apresentarão no telejornal: o tema é a existência de lugares mais quentes e lugares mais frescos na comunidade, por causa dos materiais e da presença ou não de plantas. As perguntas a seguir podem ajudá-los na discussão dos assuntos a serem abordados.

- Há notícias "quentes" relacionadas ao tema do telejornal?
- Quais notícias "frias" podem fazer parte do telejornal?
- Há pessoas especialistas que podem ser entrevistadas (como funcionários de um parque, por exemplo)?
- Algum dos experimentos feitos no projeto pode ajudar o público a entender melhor o tema? É possível filmá-lo para incluir no telejornal?

3. Discutam as ideias e decidam todas as partes que farão parte do telejornal e os assuntos que serão abordados. Preencha o quadro com as decisões tomadas.

Elemento do telejornal	Assuntos	O que precisa ser feito
Apresentação, notícia "quente", notícia "fria", reportagem de rua, entrevista, experimento, etc.		

4. Decidam quem fará cada tarefa.

PERCURSO 2
MONTAGEM DO TELEJORNAL

Meta

Elaborar as matérias produzidas para compor o telejornal.

Agora é o momento de elaborar o roteiro do que será filmado, fazer a gravação e, ao final, montar o telejornal.

O roteiro

O roteiro é a indicação escrita de tudo que acontecerá no vídeo, por exemplo:

Repórter fala: "Esta semana os funcionários da prefeitura vieram até a praça do coreto e podaram todas as árvores. Agora, os moradores reclamam que não têm mais nenhuma área com sombra na praça".

Câmera grava uma panorâmica da praça no meio da tarde, com muito Sol e nenhuma sombra. Mostra uma das árvores de perto, sem nenhum galho nem folha.

Repórter fala: "Vamos entrevistar um dos moradores". **Repórter se vira para o entrevistado e pergunta:** "Os funcionários explicaram por que fizeram a poda das árvores?".

Entrevistado responde.

Repórter fala: "Nós conseguimos falar com um funcionário da prefeitura. Ele explicou que as árvores estavam atrapalhando a fiação de energia elétrica e era preciso cortar as árvores".

Não podemos prever tudo que acontecerá numa gravação: o que o entrevistado vai responder, por exemplo, não é algo que está no roteiro. Mas podemos planejar as imagens que serão gravadas, o texto do apresentador, do repórter e as perguntas das entrevistas. O experimento também precisa de roteiro: o que será gravado, em que ordem, o que será falado etc.

Em grupo

1. Discutam como podem realizar a parte do telejornal que ficou sob responsabilidade de vocês. Debatam as ideias e decidam uma ordem de imagens, falas e demonstrações de acordo com o elemento do telejornal que vocês devem desenvolver. Exemplo: se estão responsáveis por entrevistar um especialista, precisam preparar as perguntas e encontrar o local adequado para a entrevista.

2. Elaborem o roteiro do vídeo do grupo.

3. Identifiquem no roteiro as tarefas a serem realizadas e façam a divisão de responsabilidades no grupo. No dia marcado para a gravação, todos devem ter cumprido sua tarefa.

Gravação

A gravação pode ser feita com um aparelho celular.

1. Reúnam tudo de que precisam para a gravação: os equipamentos, as pessoas que serão filmadas, aquelas que falam o texto etc.

2. Ensaiem uma vez já com a câmera, mas sem gravar: assim, vocês podem testar se está tudo bem planejado.

Cuidado com a qualidade do som!

3. Por fim, façam a gravação.

Dicas de gravação
- Se estiverem utilizando dois equipamentos, como um celular para gravar as imagens e outro gravando o áudio, batam uma palma no início da gravação: isso é fundamental para juntar as duas gravações no programa de edição de vídeos.
- Façam pausas de 1 ou 2 segundos entre uma fala e outra: isso também ajuda a edição. Se vocês precisarem cortar alguma parte da gravação, essas pausas os ajudarão a fazê-lo.
- Se o âncora do jornal estiver com muita vergonha de falar olhando para a câmera, outro membro do grupo deve ficar ao lado da câmera para que ele fale o texto olhando para o colega – isso o ajudará a "esquecer" a câmera.
- Observem a iluminação do local. Se uma pessoa ficar contra a luz, ela não aparecerá no vídeo.
- Cuidado para não filmar pessoas em espaço público sem que elas autorizem. Se houver um grupo de pessoas na praça, escolha um local para a filmagem que não as registre.

4. Assistam às gravações e verifiquem se não há necessidade de mais imagens, de acordo com o roteiro.

Edição

1. Assistam a todas as cenas gravadas pelo grupo. Escolham juntos os trechos que serão utilizados: um telejornal não deve ser muito prolongado, pois isso pode afugentar o público.

2. Mostrem para toda a turma os trechos que vocês querem incluir no telejornal.

3. Após todas as apresentações, discutam o que deve entrar no telejornal e em que ordem deve aparecer. Montem juntos uma linha do tempo com as gravações que comporão o telejornal.

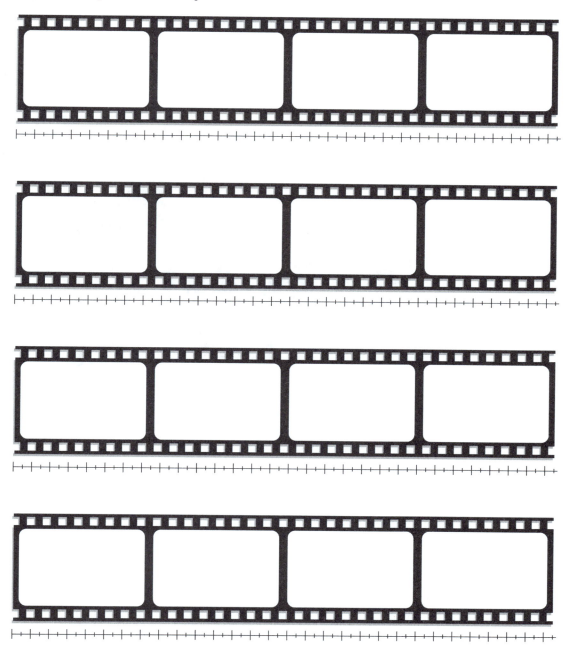

4. Agora, basta juntar os trechos e montar um único vídeo.

ETAPA 3 RESPEITÁVEL PÚBLICO

O telejornal está pronto! Chegou a hora de fazê-lo chegar ao público!

Há diversas formas de fazer o telejornal chegar ao espectador. Vocês podem colocá-lo em uma plataforma da internet para que esteja acessível às pessoas, mas apenas isso não é suficiente: Como as pessoas saberão que o telejornal existe? Como vão saber onde entrar para assisti-lo?

Uma sugestão é confeccionar um cartaz, reproduzi-lo e distribuir cópias na escola, nas praças e nos parques do município. Vocês podem incluir diversas informações no cartaz:

- o tema do telejornal;
- quem foi entrevistado;
- como as pessoas podem assisti-lo.

O cartaz pode ter uma imagem do telejornal ou algo que vocês achem que vai despertar o interesse das pessoas.

É importante considerar projetos que já existem na escola e interagir com eles. Se na escola funciona uma rádio durante o intervalo, vocês podem adaptar uma parte do telejornal para apresentar nesse canal ou, ainda, para divulgar o telejornal para os demais alunos.

Sua escola tem uma rede social para alunos, pais e funcionários? Vocês podem elaborar uma postagem bem bacana para ser veiculada nela.

Também é possível promover uma exibição na escola, convidando todas as turmas para assistir à edição. Pode ser interessante fazer uma roda de conversa ao fim da exibição do telejornal ou, ainda, expor ao público alguns dos experimentos.

BALANÇO FINAL

Chegou o momento de fazer a avaliação final do projeto.

Com base no que estudou, você consegue explicar por que a área ocupada pelos alunos na fotografia é mais fresca?

Os alunos dessa escola buscaram a parte mais fresca do pátio para realizar um bate-papo com os colegas e os professores.

AUTOAVALIAÇÃO

No quadro a seguir, você pode rever o que aprendeu ao longo deste projeto. Preencha-o e, depois, compartilhe com os colegas e o professor suas impressões: O que foi fácil e o que representou um grande desafio para você?

Eu aprendi a...	😊	😐	😖
...determinar uma área mais quente ou mais fresca de acordo com os materiais que estão nela.			
...identificar cores que contribuem para a reflexão da luz solar.			
...explicar por que as cidades são mais quentes que o campo.			
...apontar o papel das plantas na diminuição da produção de calor.			
...organizar informações no formato de um telejornal.			

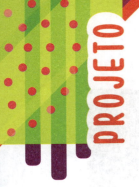

PROJETO

Só acredito vendo!

De que modo vemos as coisas? O que será que existe dentro de uma gota de água? Será que podemos confiar em tudo que vemos?

Ao longo dos séculos, o ser humano desenvolveu instrumentos capazes de ampliar o alcance de nossa visão. Há muito tempo, inventamos o telescópio, um aparelho que nos faz ver longe, muito longe! E para ver as coisas muito pequenas foi criado o microscópio! Com ele, podemos enxergar os micro-organismos.

O uso desses equipamentos possibilitou que tivéssemos acesso a um universo até então invisível a nossos olhos! Vamos entender como eles funcionam e até mesmo fabricar alguns deles?

DE OLHO NO TEMA

Existem muitas coisas no mundo que nossos olhos não podem ver, seja pela distância a que se encontram, seja por seu tamanho reduzido. Neste projeto, vamos criar objetos capazes de ampliar nossa visão, de modo que possamos captar o que a olho nu não podemos ver, e entender melhor como alguns desses elementos funcionam e afetam a nossa vida.

Essa obra é parte do projeto *Encolhi as pessoas*. Nele, o fotógrafo Renan Viana coloca miniaturas nas ruas e as fotografa, de forma que temos a impressão de que elas fazem parte do lugar. Será que essas miniaturas são vistas pelas pessoas que estão passando pelas ruas? O que mais nós não notamos ao circular por aí?

54

DIRETO AO PONTO

Como observar e registrar o que nossos olhos não podem alcançar?

QUAL É O PLANO?

Elaborar um brinquedo com imagens de coisas muito pequenas, e também de coisas distantes.

Etapa 1 – Explorando o assunto

- Observar coisas pequenas
- Observar coisas distantes
- E para observar a superfície da Terra, o que fazer?

Etapa 2 – Fazendo acontecer

Percurso 1: Planejamento das imagens

Percurso 2: Os registros das observações

Etapa 3 – Respeitável público

A proposta é vocês ensinarem outras pessoas a usar o brinquedo feito por vocês ou, ainda, ensiná-las a confeccioná-lo, para que façam as próprias versões dele.

Observar coisas pequenas

Há muitas coisas pequenas que nossos olhos não podem ver: minúsculos grãos de areia, insetos, fungos... Quando conseguimos observar coisas muito miúdas, descobrimos um novo mundo e percebemos os pequenos elementos que fazem parte de nosso cotidiano.

Você já observou como é o pelo do rosto? E o tecido da roupa, como ele é quando olhamos bem de perto? Você reconhece esses elementos nas imagens a seguir?

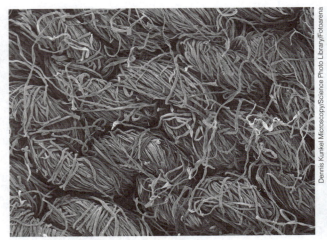

Detalhe de camiseta de algodão, ampliada com a ajuda de um microscópio.

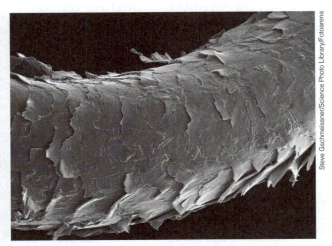

Pelo do rosto visto em ampliação com o uso de um microscópio.

Você sabia que a camiseta de algodão é formada de pequenos e finíssimos fios entrelaçados? E que os pelos têm essas escamas?

Nossa visão nem sempre é suficiente para percebemos os detalhes das coisas. Por isso, para observar diferentes elementos bem de perto e compreender como eles são, precisamos utilizar instrumentos que ampliam a imagem dos objetos, como o microscópio.

Para ver de forma ampliada o que nossa visão permite, precisamos utilizar materiais e até criar instrumentos. Tudo começa com o desvio da luz! Isso pode acontecer quando ela atravessa a água.

Vamos criar uma lente de aumento usando água?

Material:

- garrafa PET transparente (de preferência uma garrafa de água, com curvatura próxima ao bico);
- cola epóxi;
- tesoura;
- caneta que escreva no plástico (marcador permanente);
- palito de madeira;
- pote com água;
- alfinete.

Como fazer

1. Use um objeto redondo (um rolo de fita adesiva, por exemplo) e a caneta para marcar dois círculos na parte do gargalo da garrafa PET.

2. Com a supervisão de um adulto, corte os dois círculos marcados no gargalo da garrafa PET.

3. Grude os dois círculos um no outro usando a cola epóxi, com a curvatura do plástico virada para fora, formando uma lente.

4. Coloque a lente dentro de um pote com água para verificar se entra líquido. Identifique os pontos onde ainda entra água, seque o plástico e passe mais cola epóxi até que a lente esteja completamente vedada.

5. Faça um furo bem pequeno em um dos lados da lente usando o alfinete.

6. Coloque a lente dentro do pote com água e comece a apertá-la bem devagar para que o ar que está dentro dela saia e a água ocupe o espaço. Faça isso até que a lente esteja cheia de água.

Fonte: Como fazer uma lente de aumento em casa. *Manual do mundo*, 2015, 3min57. Disponível em: https://youtu.be/iGgO82eBsAI. Acesso em: 4 mar. 2019.

7. Sua lente de aumento está pronta! Você não deve apertá-la, pois a água sairá pelo buraquinho. Use a lente para observar seu próprio corpo: pele, pelos e cabelos, por exemplo. Depois, faça isso com os objetos ao redor: explore a carteira, a mochila e a sala de aula. Imagine que você é um visitante curioso, de percepção ampliada, que está conhecendo um novo mundo!

REFLITA E REGISTRE

1. Em suas observações, você encontrou duas superfícies distintas a olho nu, mas que sejam semelhantes quando olhadas com a lente de aumento? Quais?

2. Qual objeto ampliado mais impressionou você? Registre-o com uma fotografia em tamanho normal e, depois, através da lente. Imprima e cole as imagens em seu caderno, uma ao lado da outra.

3. O que acontece com a imagem gerada pela lente de aumento?

Como funciona um microscópio

O olho humano enxerga coisas pequenas, mas há um limite: conseguimos enxergar coisas que tenham até a espessura de uma folha de papel do caderno. Observe essa medida na régua.

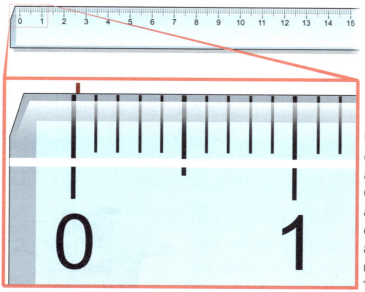

Uma folha de papel de caderno tem aproximadamente 0,2 milímetro, ou seja, a espessura da folha de papel corresponde a duas partes de um milímetro dividido em 10 partes.

É para superar os limites de nossa visão e enxergar coisas muito pequenas que foi inventado o microscópio. Ele funciona de forma bem parecida com a lente de aumento que você confeccionou ou com uma lupa: a imagem refletida na luz passa por uma lente e chega aos olhos parecendo maior do que realmente é.

A gente encosta o olho aqui para observar o que se quer.

O que vai ser observado fica aqui.

O microscópio tem lentes de aumento que possibilitam enxergar detalhes das coisas observadas. Nele, as lentes ficam na posição exata, por isso é mais fácil fazer as observações.

59

VAMOS AGIR

Agora vamos coletar lentes diversas encontradas no cotidiano e montar outro instrumento. Utilizando o celular e uma lente, podemos fazer várias observações!

Em grupo

1. Diversos objetos cotidianos têm lentes: caneta a *laser*, *driver* de DVD, lupa, óculos, câmera fotográfica, filmadora, olho mágico, *mouse* ótico etc. Quando eles deixam de funcionar, algumas pessoas os mantêm em casa, mesmo sem uso. Que tal organizar uma campanha para coletar esses objetos?

Ao coletar os objetos, vocês precisam avisar às pessoas que, para retirar as lentes, irão desmontá-los e eles não funcionarão mais.

2. Em sala de aula, juntem as mesas e coloquem todos os objetos sobre elas. Com calma, abram um a um para encontrar as lentes. Quando for difícil retirá-las, peçam ajuda ao professor (ou a outro adulto). Os objetos novos são os mais difíceis de serem abertos. Vocês sabem por que isso acontece?

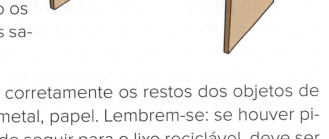

3. Depois de retirar as lentes, descarte corretamente os restos dos objetos de acordo com cada material: plástico, metal, papel. Lembrem-se: se houver pilhas e baterias, esse material não pode seguir para o lixo reciclável, deve ser levado até um ponto de coleta específico.

4. Agora a turma tem diversas lentes para testar. O princípio é muito simples: coloquem um objeto sobre uma superfície, posicionem o celular com a câmera ligada e coloquem a lente entre o celular e o objeto. Experimentem!

Qual das lentes é mais eficiente para aumentar a imagem? Quais lentes têm resultados semelhantes?

> Separem as melhores lentes para conseguir um grande aumento e vamos dar início ao experimento!

5. Instalem as lentes selecionadas no fundo de um copinho de plástico transparente ou na tampa de uma garrafa PET cortada ao meio. O copinho ou a garrafa funcionam como suporte – vocês precisam pensar em uma forma de deixar a lente fixa, usando fita adesiva ou cola quente, por exemplo.

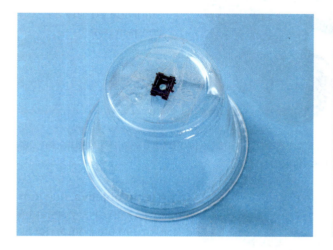
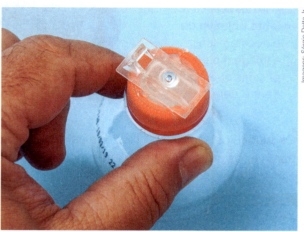

6. Ao colocar um material embaixo da lente, é possível vê-lo ampliado. Mas ainda falta algo onde apoiar o celular para conseguir fotografar o objeto ampliado pela lente. Nossa sugestão é usar uma embalagem plástica, como um pote, que cubra o copinho ou garrafa com a lente – mas, atenção, a câmera do celular e a lente precisam ficar próximas.

7. Agora o instrumento de observação está pronto! Para observar uma moeda, coloquem-na embaixo da lente e ajustem as alturas da lente e da câmera do celular para chegar ao foco perfeito. Vocês podem também observar folhas e frutas.

8. E quando o que se quer observar é algo líquido, como a água? Nesse caso, vocês podem colocar gotas do líquido entre lâminas de microscópio. Se não as tiverem, cortem quadrados de embalagens plásticas transparentes (de garrafa PET, por exemplo) e usem-nos como se fossem as lâminas. Encontrem galhos, folhas soltas e outros elementos no pátio da escola e os observem no instrumento de observação.

Imagens: Sérgio Dotta Jr.

Observar coisas distantes

Para ver coisas muito distantes, também podemos usar lentes.

Você já ouviu falar em um equipamento chamado telescópio? E o binóculo, você conhece esse objeto?

A luz atravessa a **lente objetiva** do binóculo e lança a imagem para os prismas que ficam dentro dele.

O papel da **lente ocular** é criar uma imagem virtual muito mais ampliada do que a imagem real.

Os binóculos são muito utilizados na observação de pássaros, mas algumas pessoas costumam usá-los para ver os artistas no palco em eventos de grandes dimensões.

A **lente objetiva**, que tem forma convexa, concentra a luz em um ponto; por isso, é preciso, às vezes, ter um tubo grande para que a imagem se forme.

A **lente ocular** aumenta a imagem formada.

Com uma luneta (um tipo de telescópio) bem simples para os padrões atuais, o cientista Galileu Galilei fez incríveis descobertas, como a identificação de crateras na superfície da Lua.

VAMOS AGIR

Vamos fazer um telescópio usando lentes de uma lupa. Mas, antes, precisamos fazer um acordo:

NUNCA APONTE O TELESCÓPIO PARA O SOL!

Isso pode machucar gravemente seus olhos. Combinado?

Material:

- duas lentes de aumento com diâmetro de 2,5 cm a 3 cm aproximadamente (funciona melhor se uma for maior do que a outra. Você pode usar as lentes de um binóculo ou de uma lupa);
- um tubo de papelão, pode ser de filme plástico ou de papel-toalha. É importante que ele seja comprido. Outra opção é fazer um tubo de cerca de 50 cm de comprimento com um pedaço de papelão ondulado;
- fita adesiva;
- tesoura ou estilete (peça a ajuda de um adulto);
- lápis ou caneta;
- régua, trena ou fita métrica;
- folha de jornal ou revista.

Como fazer

1. Pegue as duas lentes de aumento e uma folha de jornal ou revista.

2. Segure uma das lentes de aumento (a maior) entre você e o papel. A imagem vai parecer borrada.

3. Coloque a segunda lente entre seu olho e a primeira lente de aumento.

4. Mova a segunda lente para frente ou para trás até conseguir ver a folha com nitidez. Repare que as imagens e as palavras vão aparecer maiores e de cabeça para baixo. Meça a distância entre as duas lentes de aumento na qual a imagem ficou mais nítida.

63

5. No tubo de papelão, meça e anote a distância encontrada entre as duas lentes de aumento. Deixe no máximo 2 cm de tubo atrás da lente menor e corte o que sobrar. Se você for usar o papelão ondulado, enrole-o no tamanho (diâmetro) da lente maior para montar o tubo.

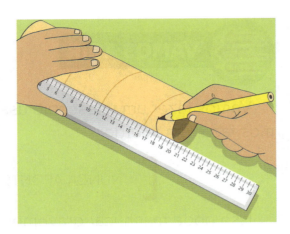

6. Faça dois pontos no tubo para marcar a distância que você mediu no item 5. A primeira marcação corresponde ao local onde a lente maior será encaixada. A outra deve ser feita a partir desta primeira, onde ficará a lente menor.

7. Faça uma fenda na primeira marcação do tubo de papelão, mais ou menos com a mesma medida das lentes. Cuidado para não cortar o tubo inteiro. A lente deve ficar encaixada nesse local do tubo.

8. Faça outra fenda no tubo, na segunda marcação. É nesse local que vai ficar a segunda lente.

9. A lente maior deve ficar encaixada na frente do tubo e, a menor, atrás. Prenda-as com fita adesiva. Se as lentes não ficarem firmes, utilize cola para fixá-las melhor.

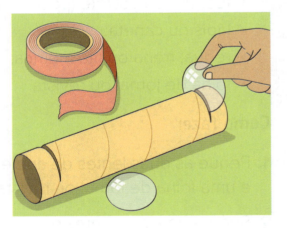

10. Você agora poderá usar esse telescópio para observar objetos a uma distância maior, embora ele não permita visualizar as estrelas com clareza. Esse tipo de telescópio é ótimo para observar a Lua, por exemplo.

As imagens estarão de cabeça para baixo, mas isso não é um problema, já que os astrônomos não se preocupam com a orientação no espaço (não há "em cima" ou "embaixo"!).

E para observar a superfície da Terra, o que fazer?

Nós já conhecemos dois grandes desafios para a observação do mundo: conseguir ver detalhes muito pequenos das coisas e conseguir enxergar coisas que estão muito distantes.

Também temos outra dificuldade: nossa visão do que está na superfície é quase sempre lateral, pois normalmente não conseguimos ver o mundo do alto como os pássaros, por exemplo.

Há muito tempo, as pessoas procuram maneiras de observar as coisas do alto, como subir em montanhas. Para isso, também foram inventados instrumentos. Você conhece alguns deles?

Balão.

Asa-delta.

Satélite artificial.

Drone.

65

Observe as fotografias feitas pelos respectivos instrumentos:

À direita, fotografia de uma reserva natural na República Tcheca feita a bordo de um balão.

As asas-deltas e os parapentes (como na imagem à esquerda) são muito utilizados para fotografar uma paisagem do alto.

À direita, imagem da cidade de Moscou foi feita por um satélite artificial que orbita nosso planeta.

À direita, as árvores de uma floresta nos Estados Unidos foram fotografadas bem do alto, por uma câmera instalada em um drone.

VAMOS AGIR

Alguns objetos foram criados para que pudéssemos observar o mundo de cima. Atualmente não precisamos estar no alto para ver dessa perspectiva: isso também é possível usando um computador!

Que tal conhecer a vista do alto dos arredores da escola?

Em dupla

1. Em casa ou no laboratório de informática da escola, acessem o *site* do Google Maps: www.google.com.br/maps. No canto superior esquerdo, escrevam o endereço da escola. Depois, na parte inferior da página, selecionem a opção "Satélite".

2. A escola está localizada onde há uma marca vermelha. Use o símbolo + para aproximar a imagem e observar mais de perto.

3. Essa é a vista do alto de uma escola e de tudo que está ao redor dela! E vocês, conseguiram identificar sua escola?

Orientações gerais

Você explorou três desafios para observar nosso planeta: detalhes minúsculos, coisas distantes e a visão do alto.

Agora vai usar os instrumentos que construiu para registrar suas explorações e confeccionar um brinquedo divertido, que lembra um pouco o cubo mágico.

No cubo mágico, é preciso girar as peças até que todos os lados tenham a mesma cor. Em nosso brinquedo, será preciso dobrar a folha de papel até que se forme um quadrado com a mesma cor.

Na página 91 do livro, você encontra um molde para montar o brinquedo com cores. Vamos descobrir como montá-lo?

1. Recorte o encarte do livro e corte nas linhas contínuas.

2. Dobre nas linhas pontilhadas até que fiquem quatro quadrados da mesma cor.

 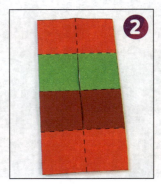  

PERCURSO 1

PLANEJAMENTO DAS IMAGENS

Meta

Decidir o que fotografar.

Em dupla

Para montar o brinquedo, vocês precisarão de oito imagens distintas. O brinquedo tem oito cores diferentes: cada cor corresponderá a uma imagem que vocês fotografarão usando os instrumentos que criaram na **Etapa 1**.

1. Para produzir as imagens que formarão o brinquedo, escolham um local da escola e um objeto.
2. Dirijam-se a esse lugar e verifiquem se será possível fazer o registro usando a lente de aumento, a luneta e o computador.

 **ATENÇÃO!**

Vocês devem observar se há luz e espaço suficiente para que seus registros fiquem nítidos quando forem impressos.

As texturas e as formas desse local serão vistas de oito maneiras diferentes, por isso é importante planejar o que se pretende registrar em cada uma das fotografias. Registrem a seguir o que foi definido.

Foto 1	_____	Foto 5	_____
Foto 2	_____	Foto 6	_____
Foto 3	_____	Foto 7	_____
Foto 4	_____	Foto 8	_____

OS REGISTROS DAS OBSERVAÇÕES

> **Meta**
> Registrar em imagens as observações feitas com os objetos confeccionados.

Em dupla

1. Dirijam-se ao lugar planejado no **Percurso 1**, posicionem o objeto a ser registrado e usem a lente de aumento e a luneta para vê-lo em duas posições: bem de perto, em detalhes; e de longe.

> Como vocês precisam partilhar com outras duplas os instrumentos que confeccionaram, é importante combinar com os colegas o uso deles.

2. Avaliem todas as imagens que vocês produziram e selecionem as oito de que mais gostaram para inserir no brinquedo.

Busquem registrar imagens com contraste de cores e texturas diferentes.

> É interessante pensar nas cores e texturas das imagens que serão elaboradas, pois o brinquedo é visual. Colocar lado a lado imagens cinza e de textura lisa seguramente vai atrapalhar a brincadeira.

3. Imprimam as imagens em quadrados com 4 centímetros de lado. Lembrem-se: são quatro cópias de cada imagem para cada membro da dupla.

4. Planejem onde vocês devem colar as imagens no brinquedo que vão produzir. Na página ao lado há um gabarito do seu brinquedo. Os números indicam a posição correta das imagens: são oito imagens diferentes, e cada uma precisa ter quatro cópias (em quadrados de 4 centímetros de lado). Anotem no gabarito ao lado qual imagem entrará em que espaço.

Frente

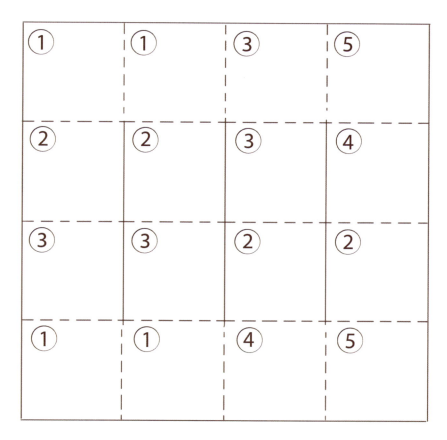

Verso

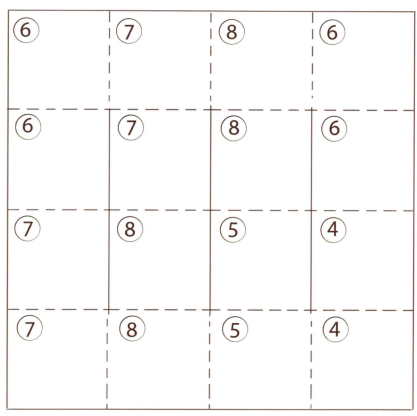

5. Recortem o molde do brinquedo (página 93 do livro) e colem as imagens nele. Atenção para a posição correta das imagens.

ETAPA 3 RESPEITÁVEL PÚBLICO

Os brinquedos confeccionados por vocês proporcionam diversão para quem brinca, além de contarem uma história por meio das imagens.

Vocês podem confeccionar diversas cópias do brinquedo e fazer com que ele circule entre as pessoas. Para que elas saibam como brincar, elaborem instruções visuais que ensinem o propósito do jogo.

É interessante explicar às pessoas como o brinquedo foi confeccionado para que, assim, elas possam fazer as próprias imagens. E se vocês também explicassem como confeccionar os instrumentos de ampliação e de visão de longe? Dessa forma, as pessoas poderiam observar as coisas de outras maneiras e, então, produzir as imagens para o brinquedo.

As instruções para que outros confeccionem os objetos, as imagens e o brinquedo podem chegar às pessoas apenas com palavras ou também com imagens: o vídeo é uma forma muito útil de explicar como fazer algo.

 **BALANÇO FINAL**

Que tal discutir com os colegas e o professor os desafios enfrentados por vocês para produzir imagens de coisas muito pequenas e de coisas distantes? As perguntas a seguir podem ajudá-los nessa conversa.

- Quais são as dimensões de algo que não é visível a olho nu? Essas dimensões variam de pessoa para pessoa? As cores, formas e texturas das coisas interferem na visibilidade? Que instrumentos podem ajudar na observação de detalhes muito pequenos de elementos visíveis?
- Quais são as vantagens de podermos observar detalhes de coisas que estão distantes? Com quais instrumentos podemos observar elementos distantes? O que as pessoas geralmente buscam observar com esses instrumentos?
- Quais são os desafios de observarmos a superfície do planeta do alto? Qual é a diferença na visão de um lugar observado por uma pessoa que está nele e visto por uma câmera em um *drone* que sobrevoa o local?

 **AUTOAVALIAÇÃO**

No quadro a seguir, você pode rever o que aprendeu ao longo deste projeto. Preencha-o e depois compartilhe com os colegas e o professor suas impressões: O que foi fácil e o que representou um grande desafio para você?

Eu aprendi a...	😊	😐	😖
...usar lentes para ver o que não é possível a olho nu.			
...construir um instrumento que ajuda a ver em detalhes o que está distante.			
...diferenciar a visão que eu tenho das coisas daquela que eu teria se pudesse sobrevoar os lugares.			
...produzir imagens para contar uma história.			

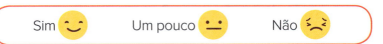

O giro do planeta

Você conhece aquela brincadeira em que giramos uma pessoa e depois ela sai cambaleando para tentar correr atrás dos demais jogadores?

Nosso planeta faz, diariamente, um giro semelhante a esse em torno de seu eixo, mas nós nem percebemos. Na superfície do planeta, onde vivemos, a sensação é de que estamos parados, fixos no Universo, mas, na verdade, giramos com o planeta, em alta velocidade.

DE OLHO NO TEMA

O lugar onde você vive recebe luz solar durante um período do dia, depois o céu fica escuro, não é? O nome do giro do planeta Terra em torno de seu eixo é **rotação**. Por causa desse movimento, todo o planeta recebe radiação solar por algumas horas.

Neste projeto, vamos explorar o movimento de rotação e seus efeitos em nosso cotidiano.

Você já brincou de pião? Quando soltamos o pião no chão, ele gira rapidamente em torno de seu eixo. Esse movimento é bem semelhante ao do planeta Terra.

DIRETO AO PONTO

O que ocorre em nosso dia a dia por causa do giro que a Terra faz em torno de seu eixo?

QUAL É O PLANO?

Elaborar um jornal com reportagens sobre o movimento de rotação da Terra.

Etapa 1 – Explorando o assunto

- Não é o Sol que se movimenta
- As descobertas de Nicolau Copérnico

Etapa 2 – Fazendo acontecer

Percurso 1: As partes de um jornal
Percurso 2: A elaboração do jornal

Etapa 3 – Respeitável público

Vamos fazer o jornal que criamos para uma grande quantidade de pessoas!

Não é o Sol que se movimenta

Você já observou o céu ao longo de um dia? Temos a impressão de que a Terra está parada enquanto o Sol se movimenta: ele nasce, fica a pino e se põe.

Mas não é isso o que realmente acontece. Na verdade, o planeta Terra gira ao redor de si mesmo: é o movimento de rotação.

Nós não percebemos o giro da Terra porque nos movemos com o planeta.

Cada criança vê uma situação diferente: a que está dentro do trem e olha pela janela tem a impressão de que a paisagem se move; mas a outra, que está do lado de fora, percebe que o que se move é o trem.

É possível reproduzirmos esse aparente movimento do Sol? Vamos descobrir fazendo um experimento.

Material:

- patins, *skate* ou um carrinho de brinquedo que possa ser puxado com cordão ou que seja movido a controle remoto;
- câmera fotográfica ou celular;
- fita adesiva.

Como fazer

Em grupo

1. Escolham um local amplo na escola para fazer o experimento, onde a câmera possa ser deslocada de maneira segura. Vocês vão registrar a paisagem em volta.

2. Se um aluno do grupo for deslizar pelo espaço usando *skate* ou patins, ele deve carregar um celular com câmera ou pode acoplar uma câmera ao capacete. Se apenas a câmera for fazer o trajeto, fixada em um carrinho, tomem cuidado para que ela não caia quando começar o movimento.

Usem fita-crepe e papelão para prender a câmera no carrinho.

Caso usem *skate* ou patins, vocês podem repetir a atividade para que todos os membros do grupo experimentem os dois pontos de vista.

3. Registrem também o objeto e/ou o aluno em movimento. O objetivo é ter as gravações do experimento de dois pontos de vista: de quem está em movimento e de quem está parado.

4. Assistam às gravações e selecionem um trecho de cada ponto de vista para apresentar aos colegas na sala de aula.

REFLITA E REGISTRE

1. Se você observar alguns elementos nas gravações do experimento, consegue saber quais imagens correspondem ao ponto de vista de quem está em movimento? Converse com os colegas sobre como vocês podem identificar o vídeo feito em movimento.

2. Nesse experimento, quando estamos em movimento, temos a impressão de que a paisagem se move, mas sabemos que é nosso corpo que se movimenta.

    Agora, imagine que a paisagem é o Universo: o céu, a Lua, as estrelas... As nuvens e os corpos celestes estão distantes de nós e parecem em movimento. Aqui, no lugar onde estamos, tudo à nossa volta está parado, por isso temos dificuldade de perceber que giramos com o planeta. Desenhe em uma folha à parte os dois pontos de vista dessa situação: primeiramente, de quem está em movimento com o planeta; depois, de uma imagem de um satélite, voltado para a Terra.

VAMOS AGIR

Vamos construir um relógio de sol?

Material:

- canudo ou palito de churrasco com 15 cm;
- lápis;
- tesoura;
- fita adesiva;
- pedaço de papelão;
- bússola (pode ser em um aplicativo de celular).

Neste relógio de sol, já passa das onze horas da manhã. Ele marca as horas de acordo com a sombra do objeto gerada pelo Sol durante seu movimento aparente.

Como fazer

1. Recorte o molde de relógio de sol do final do livro (página 95).
2. Fure com o lápis o ponto no alto da escala de horas. Coloque uma borracha embaixo para não estragar a carteira.
3. Os ângulos marcados nas laterais do molde correspondem à medida da distância até a Linha do Equador. Dobre o molde na linha que indica a distância de seu município. Para descobrir essa distância encontre no mapa a seguir a linha mais próxima de seu município.

Fonte: *Atlas geográfico escolar.* 7. ed. Rio de Janeiro: IBGE, 2016. p. 90.

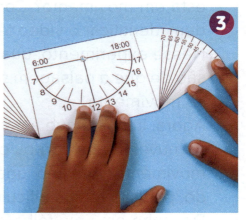

Exemplo: se você vive em Campo Grande, a distância até a Linha do Equador é 20° S; então, é preciso dobrar a linha do número **20**.

4. Dobre as laterais da escala de horas. Monte o molde sobre o papelão e use a fita adesiva para prendê-lo.

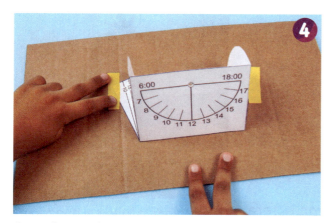
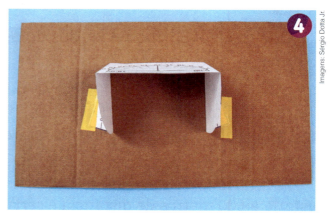

Atenção: os dois cantos da escala de horas precisam ficar retos.

5. Coloque o canudo no furo do molde e fixe-o com fita adesiva na base de papelão.

6. Para que o relógio funcione corretamente, você precisa posicioná-lo em um local que receba luz solar e o canudo tem de apontar para o Norte. Use uma bússola para posicionar o relógio corretamente.

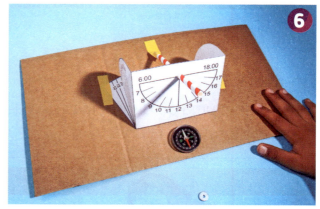

A sombra do canudo indica a hora aproximada.
Fonte: Jack Challoner. *Maker lab outdoors*. Nova York: Dorling Kindersley, 2018. p. 150-153.

REFLITA E REGISTRE

1. Usando o relógio de sol, é possível saber que horas são? Quais são as limitações dele?

2. Experimente ficar na mesma posição do canudo do relógio de sol e observe sua sombra em diferentes momentos do dia. É possível marcar sua posição no chão e, apenas com sua sombra, saber aproximadamente que horas são?

VAMOS AGIR

Que tal fazer um modelo reduzido para explorar o movimento de rotação?

É difícil elaborar um modelo que contenha a Terra e o Sol por causa da grande diferença de tamanho, além da distância enorme entre esses dois astros.

Se a Terra fosse um tomatinho na sua mão, o Sol estaria a 500 metros de distância e seria uma esfera com 4 metros de diâmetro.

Nesse modelo, o tomatinho representa o tamanho de nosso planeta!

Dr. Dominic Walliman e Ben Newman. *Professor Astro cat's frontiers of space*. Londres: Flying Eye Books, 2013. p. 13. (Tradução nossa).

Material:

- lanterna;
- elásticos;
- papel que seria descartado;
- cabide;
- alfinete para quadro de cortiça;
- linha.

Como fazer

Em dupla

1. Amassem uma ou duas folhas de papel até formar uma bola.

2. Passem os elásticos em volta da bola de papel até cobri-la completamente.

3. Prendam a bola no cabide usando a linha. Coloquem o alfinete na bola: ele simulará a posição de uma pessoa sobre a superfície do planeta.

O modelo da Terra está pronto!

4. A lanterna representa o Sol, então é preciso tomar alguns cuidados para posicioná-la corretamente. Observem a ilustração ao lado, que simula a posição da Terra em relação ao Sol, e façam de modo semelhante. Vocês não precisam medir o ângulo, apenas mantenham o alinhamento sugerido na ilustração.

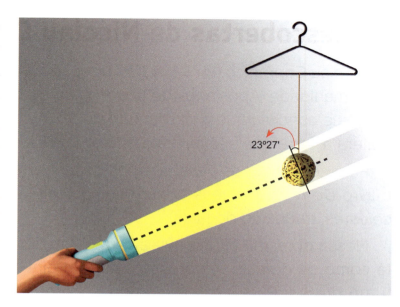

5. Diminuam as luzes do ambiente e liguem a lanterna. Girem o modelo da Terra até que o fio esteja bem enrolado, então solte-o. Ele vai girar rapidamente como no movimento de rotação.

6. Repitam o giro do modelo para que seja possível observar o que acontece com o alfinete. Se o modelo girar rápido demais para ser observado, filmem com a câmera do celular e depois assistam em câmera lenta.

REFLITA E REGISTRE

1. O alfinete está sempre iluminado? O que acontece com ele ao longo do giro?

2. Observe atentamente as sombras do alfinete enquanto o modelo gira. Elas têm algo em comum com as sombras no relógio de sol?

As descobertas de Nicolau Copérnico

Nicolau Copérnico (1473-1543) foi um dos cientistas mais importantes da história da humanidade. Após anos de observação do céu e inúmeros cálculos matemáticos, ele concluiu que o movimento do Sol no horizonte era aparente: na verdade, era a Terra que girava, tanto em torno de seu eixo quanto em torno do Sol.

Para comunicar às pessoas suas descobertas, Copérnico publicou, em 1543, o livro *De revolutionibus orbium coelestium* (*Sobre as revoluções das esferas celestes*, traduzido do latim).

Nessa obra, ele afirma que a Terra é um planeta como os demais e, por isso, também gira em torno do Sol. Para explicar como isso acontece, ele apresenta alguns fenômenos da Astronomia, como a posição dos planetas em relação ao Sol e os movimentos da Terra.

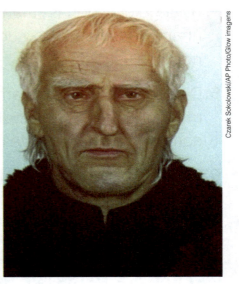

Nós não temos fotografias de Copérnico, claro! A fotografia nem tinha sido inventada no século em que ele viveu. Algumas ilustrações e pinturas mostram o rosto do cientista segundo os artistas que o representaram. Mas, há alguns anos, um grupo de estudiosos elaborou esse modelo de como seria o rosto de Copérnico com base no estudo de seu esqueleto.

O livro foi publicado um pouco antes de Copérnico falecer. Esta é a primeira página de uma edição publicada em 1566.

VAMOS APROFUNDAR

1. Em sua opinião, Copérnico tomou uma decisão acertada ao publicar um livro com seus estudos? Por quê?
2. Atualmente, publicar um livro é uma boa opção para divulgar uma ideia? Que outras formas de publicação existem hoje, que não estavam disponíveis para Copérnico?

O livro de Copérnico fez suas ideias e observações chegarem a outras pessoas, como Galileu Galilei e Johannes Kepler. Conheça melhor essa história no texto a seguir, do físico Marcelo Gleiser.

[O filósofo grego Aristóteles] acreditava que o cosmo era como uma cebola, uma camada dentro da outra, com a Terra no centro, a Lua na camada mais próxima, depois os planetas Mercúrio e Vênus, o Sol, os planetas Marte, Júpiter e Saturno (na época não se conheciam Urano, Netuno e Plutão), e na última camada as estrelas. [...] Para Aristóteles, a Lua, os planetas e as estrelas eram perfeitos e eternos, e giravam em torno da Terra em órbitas circulares. [...]

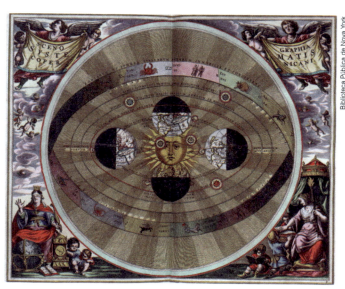

Reprodução do modelo heliocêntrico de Nicolau Copérnico. Essa ilustração mostra o Sol no centro do Universo e a Terra girando a sua volta.

Galileu não gostava nada dessa divisão aristotélica do cosmo. Em 1610, ele ganhou um telescópio de um amigo. Os telescópios acabavam de ser inventados na Holanda e estavam causando verdadeira sensação na Europa. Galileu teve a ideia genial de apontar o seu telescópio para os céus, e o que ele viu mudou para sempre o curso da história. Primeiro, a Lua não tinha nada de perfeita; ao contrário, era toda esburacada, com crateras, montanhas e vales. [...]

O impacto das descobertas de Galileu foi enorme. Na Alemanha, outro grande astrônomo, chamado Johannes Kepler, estava convencido de que o Sol, e não a Terra, era o centro do cosmo. Essa ideia havia sido proposta pelo polonês Nicolau Copérnico em 1543, mas ninguém a tinha levado muito a sério até então, já que ela contradizia os ensinamentos do venerado Aristóteles. As observações de Galileu eram tão compatíveis com a ideia de Copérnico que ficava difícil insistir na tese de que a Terra era o centro de tudo. Kepler, o primeiro a defender abertamente Copérnico, escreveu entusiasmado a Galileu, oferecendo seu apoio.

Marcelo Gleiser. *O livro do cientista.* São Paulo: Companhia das Letrinhas, 2003. p. 27-31.

Essa história mostra que as observações são importantes para as descobertas da ciência. Nicolau Copérnico fez muitas descobertas com sua observação, mas foi o uso da luneta por Galileu Galilei que possibilitou desfazer enganos e mostrar que a Terra gira em torno do Sol.

ETAPA 2 — FAZENDO ACONTECER

Orientações gerais

Atualmente, a maior parte das pessoas reconhece que nosso planeta gira em torno de seu eixo, no movimento de rotação. Mas será que todas elas relacionam esse giro ao movimento aparente do Sol no céu? Afinal, todos os dias temos a impressão de que o Sol se movimenta, não é?

E se fizéssemos um jornal que apresente o que você e os colegas descobriram com os experimentos e o que aprenderam do trabalho de Copérnico e Galileu?

PERCURSO 1

AS PARTES DE UM JORNAL

Meta

Conhecer as diferentes partes de um jornal.

1. Você já leu um jornal? Ele tem diferentes partes:

- capa;
- reportagens;
- entrevistas;
- seção de cartas do leitor;
- previsão do tempo;
- seção de história em quadrinhos etc.

Procure na biblioteca da escola exemplares de jornais. Folheie alguns deles para observar as diferenças entre as páginas. Você também pode ler alguns jornais na internet.

Milhões de crianças e jovens em todo o mundo protestaram, em 2019, contra a falta de ações dos governos para conter as mudanças climáticas. Aqui no Brasil, esse movimento foi capa do jornal *Joca*, feito para crianças e adolescentes.

84

2. Escolha uma página de jornal entre as pesquisadas por você e identifique os elementos que a compõem. Veja um exemplo.

O texto no alto da página, com grande destaque, é a manchete. Neste exemplo, o que o jornal informa aos leitores?

A fotografia é um elemento muito importante do jornal. Observe que a manchete não informa quem é campeão nem o que foi vencido, mas a fotografia traz todas essas informações: podemos identificar que a notícia se refere ao campeonato mundial de futebol masculino e que o Brasil foi o vencedor do torneio.

A vitória no campeonato é a principal notícia, mas aconteceram outras coisas, que são citadas na capa. Dentro do jornal, o leitor encontra reportagens longas sobre essas notícias.

Reprodução da capa do jornal *O Estado de S. Paulo*, 1º jul. 2002.

3. Apresente aos colegas a página que você selecionou e explique o que você identificou nela de diferente em relação às demais do jornal que folheou.

Em grupo

4. Escolham seis páginas de jornal diferentes umas das outras, incluindo a capa. Elas servirão de modelo para o que vocês elaborarão.

85

PERCURSO 2
A ELABORAÇÃO DO JORNAL

Meta
Organizar o trabalho em grupo e elaborar os conteúdos do jornal.

Divisão de tarefas

1. O que abordar no jornal? Essa é uma decisão do grupo. Os assuntos escolhidos, no entanto, devem estar conectados à questão principal do projeto:

> O que acontece em nosso dia a dia por causa do giro que a Terra faz em torno de seu eixo?

2. O professor organizará a turma em seis grupos. Cada grupo será responsável por uma página do jornal.

Cada página do jornal tem o tamanho de uma folha A3 (que são duas folhas de tamanho A4 coladas).

Após a definição, registre no quadro a seguir o que cada grupo deve elaborar.

Grupo	Responsabilidade
GRUPO 1	
GRUPO 2	
GRUPO 3	
GRUPO 4	
GRUPO 5	
GRUPO 6	

Confecção da página

Em grupo

3. Façam uma lista dos itens que vocês gostariam de contar aos leitores. Por exemplo, se seu grupo abordar o relógio de sol, é interessante contar um pouco da experiência de vocês: como fizeram o relógio, como leram as horas nele etc.

4. Escolham se farão uma grande matéria ocupando toda a página do jornal ou diversas matérias. Caso optem pelo segundo caso, vocês podem se agrupar em equipes menores para que cada uma escreva uma matéria.

86

5. Elaborem os textos coletivamente. Escolham um aluno do grupo para ser o escriba: o grupo dita o texto e esse aluno vai anotando. Ao final, leiam o que foi escrito e identifiquem o que pode ser modificado a fim de que o texto fique bem claro para o leitor.

6. Agora é o momento de montar a página final! Observem alguns exemplos.

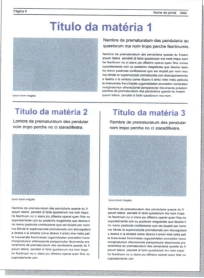

7. Na folha A3, marquem a lápis a área que será ocupada pelo título e pelas imagens. Em seguida, escrevam o texto final no espaço que sobrou – vocês podem fazer linhas com o lápis ou colocar uma folha de papel pautada por baixo da página para ajudar na escrita.

8. Colem as imagens nos espaços reservados.

Montagem do jornal

9. Cada grupo deve apresentar sua página pronta ao resto da turma. Depois, levantem os assuntos que devem entrar na capa. Escolham o assunto principal, que será o destaque: a manchete.

10. Com os demais grupos, deem um título ao jornal e confeccionem a capa, cuidando para que todos os assuntos sejam citados. Usem o material que cada grupo produziu, como fotografias, informações etc., para montá-la.

11. Agora basta unir as páginas. Vocês podem organizá-las uma em cima da outra, furar a lateral e prendê-las com um barbante.

ETAPA 3 — RESPEITÁVEL PÚBLICO

Chegamos à etapa final e a mais divertida: mostrar o trabalho pronto para o mundo! Como divulgar o jornal (colocá-lo em circulação) para que alcance grande quantidade de leitores?

O jornal pode ficar fixado em uma parede da escola para que as pessoas o leiam no corredor, de pé mesmo.

Outra opção é circular o jornal na internet. Basta fotografar as páginas e montar o arquivo. Depois, é só distribuir para as pessoas.

Fazer cópias do jornal e distribuir às pessoas também é uma possibilidade interessante, pois elas podem levá-lo para casa e ler todas as matérias com calma.

Pesquise o que é necessário fazer para colocar o jornal em circulação, por qualquer meio. Debata com toda a turma as possibilidades de cada método de distribuição: Alguém é "fera" em arquivos digitais? A escola tem uma máquina copiadora? Decidam o que será feito e dividam as tarefas para pôr em prática tudo o que planejaram.

 **BALANÇO FINAL**

Do que você mais gostou neste projeto? Retome com os colegas, em uma conversa, cada etapa: os experimentos e a confecção do jornal. Anote no esquema a seguir como foram essas atividades e o que você mais aprendeu em cada uma delas.

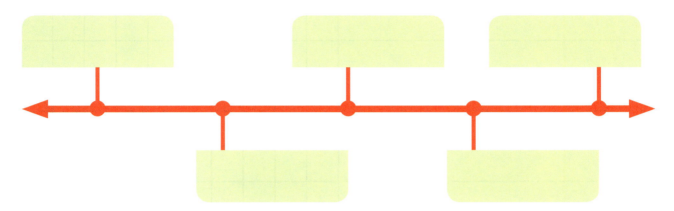

 **AUTOAVALIAÇÃO**

No quadro a seguir, você pode rever o que aprendeu ao longo deste projeto. Preencha-o e depois compartilhe suas impressões com os colegas e o professor.

Eu aprendi a...	😊	😐	😣
...reconhecer os dias e as noites como um efeito do movimento de rotação.			
...construir um relógio de sol.			
...simular o movimento de rotação usando um modelo da Terra e uma lanterna.			
...identificar diferentes partes de um jornal.			

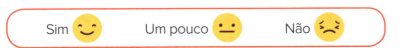

Enquete: registro das entrevistas (página 21)

Pergunta:	
Respostas	Quantidade

Cada resposta dos entrevistados corresponde a um quadradinho.

Molde do quadrado mágico (página 68)

✂ cortar
------- dobrar

Molde do quadrado mágico (página 68)

Molde para a montagem do brinquedo com imagens (página 71)

①	①	③	⑤
②	②	③	④
③	③	②	②
①	①	④	⑤

✂ cortar
------- dobrar

Molde para a montagem do brinquedo com imagens (página 71)

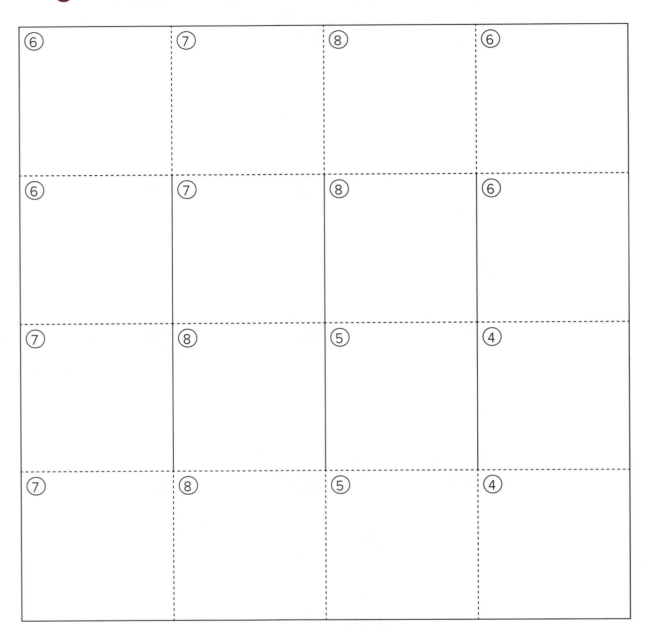

✂ cortar
------- dobrar

Molde do relógio de sol (página 78)

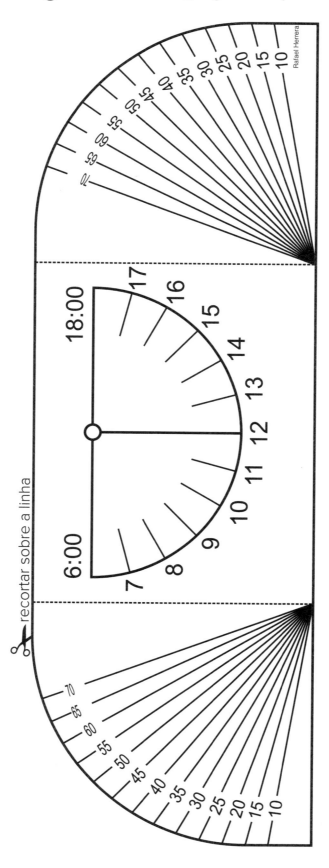